Ailleurs si j'y suis

ANTOINE LAURAIN

Ailleurs si j'y suis

———

ROMAN

Sic · luceat · lux

I

L'homme qui aimait les objets

Situé au bout d'un champ, il ne possède pas de fenêtres et le système d'éclairage électrique est hors d'usage. C'est un hangar en tôle d'une centaine de mètres carrés, les plaques de métal chauffent sous le soleil chaque été et la température y est à peine supportable. On pourrait brancher une lampe torche de type « baladeuse » à une prise de courant pour éclairer l'intérieur, mais je préfère les cierges.

J'allume un à un la vingtaine que j'ai disposés dans un ordre aléatoire. Après cela je fume une cigarette et me verse un verre de whisky, c'est un rituel. J'ai caché, derrière un bidon d'huile industrielle, un excellent Bowmore encore jeune. Il renferme, comme tous les grands whiskies, ce goût de cuir et de tourbe ainsi que la clarté d'un bouillon de poule, à l'inverse des écœurants bourbons couleur d'ambre. Je me le sers dans une timbale en argent d'époque Louis XV. Posée sur le vieil établi de bois, elle m'attend à chacun de mes passages.

Les grandes plaques de tôle des murs n'ont jamais été peintes, mais elles ont rouillé avec

patience jusqu'à prendre cette teinte si particulière que les artistes nomment « terre de
Sienne brûlée ». Un brun si soutenu qu'il en
devient presque rouge.

Je viens là, une à deux fois par mois, j'y reste
pendant deux bonnes heures à contempler mes
collections, comme je le faisais dans mon bureau
autrefois. Tabatières d'or ou d'écaille, clefs en fer
forgé relevées de dauphins ou de chimères, boules
presse-papiers translucides qui enferment à
jamais figées leurs pastilles multicolores, flacons
de sel taillés dans ce cristal jaune aux reflets
fluorescents que l'on nomme ouraline, vierges
en ivoire de Dieppe et gobelets de vermeil haute
époque, tant d'autres encore. Ils sont disposés
sur une ancienne table d'atelier, j'y ai aussi posé
une vieille étagère à plusieurs compartiments.
Dans chacune des cases j'ai également placé des
objets, il y en a vingt-quatre. On dirait un peu ces
calendriers de l'avent que j'ouvrais lorsque j'étais
enfant. Derrière chaque jour, il y avait un petit
compartiment qui contenait une surprise en plastique. De jour en jour, de surprise en surprise, on
arrivait jusqu'à Noël, le grand soir des cadeaux.

Tous les cadeaux que je me suis faits à moi-
même durant ma vie de collectionneur sont réu-
nis ici. C'est mon cabinet de curiosités, caché
au regard des autres comme doivent l'être ces
pièces secrètes remplies d'objets fabuleux, jalou-
sement gardés par leur seul maître. C'est le plus
curieux des cabinets de curiosités, situé au bout
d'un champ agricole. En pleine Bourgogne, là où
même les téléphones portables ne sonnent pas.

La chaleur de l'été est étouffante et les bottes de paille entreposées jusqu'au toit du hangar, depuis des décennies, sont tellement sèches qu'elles pourraient prendre feu d'un instant à l'autre, par combustion spontanée. En haut à droite, posé sur des sacs d'engrais périmés, il y a mon portrait, avec son blason. Aujourd'hui il me semble entrevoir ce qui s'est réellement passé avec ce tableau.

Maintenant je m'assois sur la petite chaise en rotin, je bois la première gorgée de whisky puis j'énonce ma question rituelle à voix haute, cela me fait sourire à chaque fois :

— Pierre-François Chaumont, es-tu là ? Un coup, oui, deux coups, non.

Alors je pose sèchement ma timbale d'argent sur l'établi, le choc du métal produit la réponse.

Tout a commencé il y a un peu plus d'un an. Loin de la Bourgogne, à Paris.

Nous étions dans les derniers jours du prin-
temps et depuis quelques semaines, je tentais un
timide débordement vers le salon. Mes merveil-
leuses collections avaient été d'année en année
exilées par mon épouse vers une seule pièce
de l'appartement. Baptisée « bureau », c'est là
que j'entreposais tous mes trésors. Franchissant
les lignes ennemies, j'avais à nouveau disposé
quelques boules presse-papiers de Saint-Louis
sur la table basse. Peu de temps avant, un accident dramatique avait provoqué la chute d'une
composition de baccarat, elle s'était brisée net
sur l'arête d'un mortier en bronze. Les deux mille
euros de la boule étaient partis en fumée. Cet
aspect financier avait incité Charlotte à consen-
tir un territoire de sûreté pour les autres boules.
Nous avions négocié la table basse.

Le lendemain, j'avais rapporté ma paire de
vases Gallé lie-de-vin, dite « papillons de nuit »,
la disposant de chaque côté de la cheminée sous
le regard désapprobateur de ma femme.

— Si on les pète, il y en a pour cent mille balles, avais-je annoncé, parant toute réflexion désobligeante et me replaçant dans l'époque des francs pour que le montant, déjà exagéré, l'impressionne encore plus.

L'argument financier avait porté, et je m'étais demandé si je n'allais pas relever la valeur de certains objets afin de les remettre dans le salon.

Il y avait quelque temps que je n'étais allé à la salle Drouot lever la main aux enchères. La vente procure une ivresse qu'aucun alcool ne peut donner et, contrairement au casino, lorsque vous perdez vous avez la sensation d'avoir malgré tout un peu gagné : l'argent que vous aviez prévu pour l'objet qui vient de vous échapper réintègre comme par magie votre compte en banque, puisque inconsciemment vous l'aviez déjà dépensé. On éprouve alors la sensation de ressortir de l'hôtel des ventes plus riche qu'en y entrant. À ce sujet, il m'arrivait parfois de jouer avec une idée : me faire interdire de salle Drouot, comme certains joueurs le demandent pour les casinos. J'imaginais un physionomiste grand et fort, habillé à la manière des portiers de palace, il aurait laissé passer tous les curieux avant de lever le bras vers moi.

— Maître Chaumont, aurait-il dit d'un ton poli mais ferme.

— *Sorry, I think it's a mistake, my name is Smith, Mister Smith...* aurais-je répondu, derrière mes lunettes noires et mon cache-nez.

— Cela ne prend pas maître Chaumont, on vous a reconnu, circulez.

Quelques heures plus tard je serais revenu les cheveux teints en blond. À peine me serais-je approché que l'homme aurait secoué la tête en fermant les yeux. Jamais plus je n'aurais franchi l'entrée de la salle des ventes.

Je passais depuis quelques semaines tout mon temps sur la Durit BN-657. Pièce maîtresse dans l'évolution des moteurs de formule 1, ce petit objet portait en lui, selon son inventeur, les futurs Schumacher, Hakkinen ou Alonso. Deux écuries se disputaient la paternité de la Durit, chacune l'attribuant à son pôle de recherche et, une fois de plus, le cabinet Chaumont-Chevrier avait été appelé à la rescousse. L'enjeu financier n'étant pas négligeable, Chevrier avait momentanément abandonné une histoire de plagiat de logo assez courante pour venir en renfort sur la Durit.

Un midi, tandis qu'il prenait connaissance du dossier, je m'étais accordé une pause déjeuner comme je les aimais : une flânerie dans les salles d'exposition de Drouot. Le cabinet était situé à cinquante mètres de l'hôtel des ventes, cet emplacement ayant été déterminant dans le choix des locaux. Après avoir rapidement avalé un sandwich et bu une limonade, j'étais entré dans le hall. J'avais visité d'un regard distrait une vente asiatique. Elle ne comportait qu'une seule estampe érotique où l'on pouvait voir une femme entretenir des rapports très intimes avec un poulpe géant. Peu porté sur la zoophilie et les céphalopodes j'avais passé mon chemin.

Le premier étage regorgeait de porcelaines et de commodes en bois de rose. Il y avait aussi une vente d'armes qui attirait les curieux et les spécialistes de la poudre et du silex. J'étais descendu au sous-sol. Les ventes du sous-sol sont toujours moins prisées que celles du premier et l'on m'a parlé de certaines personnes qui n'achètent qu'au sous-sol pour revendre quelques mois plus tard au premier, et qui en vivent.

J'avais déambulé dans une salle consacrée à l'exposition d'une vente de philatélie. Mon regard s'était perdu dans les plumes multicolores d'oiseaux tropicaux, les lacs d'Italie et les profils des sauveurs de patries diverses. N'ayant pas d'affection particulière pour les timbres, j'étais passé dans la salle voisine où la taxidermie était à l'honneur. Du colibri au zèbre, à peu près toute la faune y était représentée. Un tamanoir avait attiré mon attention, mais l'arrivée du grand amateur de fourmis dans l'appartement aurait sûrement créé quelques dissonances dans mon couple. Et pourtant, j'aurais pu acheter l'intégralité des animaux empaillés et les disposer chez moi dans toutes les pièces, cela aurait eu des conséquences moins bouleversantes que ce qui allait arriver.

D'un pas résigné et les yeux las, j'entrai dans la salle huit. Armoires, buffets, consoles, miroirs s'entassaient jusqu'au plafond. L'ensemble sentait le mobilier de grenier, le débarras, sans style et sans valeur. J'avançais vers le fond, passant en revue des objets de vitrines bon marché et quelques croûtes accrochées sur les murs, lorsque je le vis.

Soixante centimètres sur quarante. Un pastel du XVIIIe siècle dans son cadre d'époque. Un homme en perruque poudrée et en costume bleu. En haut à droite, un blason indéchiffrable. Pourtant, à cet instant, ce n'était pas le blason qui retenait mon attention, mais le visage. Pétrifié, je ne pouvais plus en détacher mon regard : ce visage, c'était le mien.

Ce portrait de moi exécuté deux siècles et demi plus tôt, et qui surgissait en ma quarante-sixième année, était en fait le point de bascule d'une accumulation commencée depuis long-temps. D'année en année, d'objet en objet, de bordereau en bordereau jusqu'à cette fin de matinée dans la salle huit de l'hôtel Drouot. C'était au tout début de ma vie de collectionneur qu'il fallait revenir, au premier achat. J'avais neuf ans et en bon avocat qui se respecte je nommerai ce moment de mon existence « l'af-faire des gommes ».

Dans son sommeil, Arthur, le vieux basset arté-sien familial, décédait d'un infarctus foudroyant. Deux semaines plus tard ma mère achetait un chien identique, seule sa petite taille le diffé-renciait momentanément du précédent. Je vis dans cette répétition une faute de goût ; véritable injure à la mémoire du premier chien. J'avais suggéré l'achat d'un doberman noir, pour faire variante avec le basset artésien, allant même jusqu'à proposer un prénom : « Sorbonne », en hommage au chien qui accompagnait Jean Rochefort dans *Angélique, Marquise des Anges*, que je regardais avec passion durant les vacances de Pâques. Cette suggestion ne reçut aucun écho et mes parents poussèrent leur manque d'imagination chronique jusqu'à donner le même nom au nouveau chien.

À quelque temps de là, ma mère me traîna avec elle dans une de ces après-midi de courses dont elle avait le secret. Son repaire favori était le magasin Old England sur les Grands Boulevards. Enseigne luxueuse et surannée où elle s'obstinait à m'acheter des pantalons de flanelle grise et des blazers bleu marine. De là date certainement mon horreur du gris souris et du bleu sombre. Pour tout l'or du monde on ne pourrait aujourd'hui me forcer à porter une veste de ce bleu, et je préférerais me rendre au bureau en caleçon plutôt qu'en pantalon gris. À cette époque je ne rêvais que de jeans, mais la toile denim figurait encore à l'index du cours Hattemer. Après m'avoir mis au supplice, me revêtant de ces oripeaux de luxe qui avaient un bon demi-siècle de retard, ma mère poussa son parcours jusqu'aux grands magasins. Elle y essaya de nombreux tailleurs qui ne lui convenaient jamais. Nous descendîmes au rayon papeterie ; en ce début d'année scolaire, il fallait renouveler le contenu de ma trousse. Ma mère m'acheta une gomme jaune, parfumée à la banane, sur laquelle était imprimée en couleur une tête de doberman qui tirait la langue. Sans doute quelques émules de Freud verront là un acte révélateur :

ma mère m'achetait une gomme à l'effigie du chien que j'avais réclamé afin que j'efface de ma mémoire toute trace de ce désir inassouvi. Moi, je n'y vis qu'une très jolie gomme parfumée. Un bel objet, que je n'avais pas du tout l'intention d'utiliser, mais bien au contraire de conserver. Le lendemain, en sortant des cours, je me mis à la recherche d'une seconde gomme parfumée à l'effigie d'un chien. Je trouvai dans une petite papeterie sur le chemin de l'école une gomme verte présentant une tête de husky. Celle-là était parfumée à la pomme.

Le soir même j'écrivis dans mon journal : « La collection commence à deux quand on cherche le troisième. »

Cette phrase allait être la clef de voûte de ma vie.

« L'oncle Edgar me fait honte », avait coutume de dire ma mère dans un soupir, désignant ainsi le frère de son père. Mon père, lui, ajoutait une phrase volontairement incompréhensible dont le seul mot intelligible était « folle ». Je mis de nombreuses années à comprendre pourquoi cet adjectif féminin psychiatrique était attribué à ce si sympathique oncle Edgar, que je ne voyais hélas qu'une ou deux fois par an.

— Toi, tu es beaucoup plus intelligent que tes parents, mon petit, m'avait dit un jour l'oncle Edgar sur le ton de la confidence.

J'étais resté avec lui dans le salon pendant que ma mère était partie chercher quelques friandises pour l'apéritif. Je me souviens d'avoir fixé les yeux bleu délavé de l'oncle Edgar qui frisait les soixante-quinze ans. Mon regard avait dérivé vers la joue parfaitement rasée et ce curieux teint nacré qui nappait tout son visage ; mon père n'avait pas ce teint. J'avais approché ma main d'enfant du vieux visage et j'avais touché la joue de l'oncle. Sur le bout de mes doigts, une fine poudre couleur chair s'était déposée, luisante, semblable à celle que Céline, la bonne, se mettait devant le miroir de la cuisine.

Ma mère aussi devait utiliser du fond de teint mais jamais je ne l'avais vue se maquiller. Elle s'enfermait dans la salle de bains pour procéder à ce rituel qui pourtant fascine les hommes et les petits garçons qu'ils sont tous restés. Seule Céline me permettait de la regarder se poudrer et se faire les paupières.

Mes yeux étaient remontés vers ceux de l'oncle et j'avais vu, tout comme sous ceux de Céline, une fine ligne bleue qui relevait la couleur des iris. L'oncle m'avait observé avec douceur, un sourire complice et triste s'était dessiné sur son visage.

— Quand tu seras grand, tu comprendras, avait-il murmuré.

Ma mère était apparue avec une assiette de petits gâteaux secs et j'avais fermé le poing, frottant le plus discrètement possible mes doigts contre ma paume, afin d'effacer le secret de cet oncle qui se maquillait comme les jeunes filles.

*
* *

L'oncle Edgar avait pour habitude de sortir de ses poches des objets tous plus étonnants les uns que les autres et d'en faire des descriptions fabuleuses. Cette voix caressante et précieuse, je l'ai retrouvée des années plus tard, au hasard de rediffusions de films français en noir et blanc sur le câble. Un second rôle possédait à s'y méprendre la silhouette, la voix et le genre de mon oncle : l'acteur Jean Tissier.

Me tendant les objets, sous le regard inquiet de mes parents, il me demandait de les regarder « avec intelligence et logique, mon garçon ». Pyrogènes, nécessaires de poche, miroirs pliants, éventails, poudriers, boîtes à douceurs, tabatières, tous révélaient à chaque fois un secret inattendu : système caché, double emploi, autre usage dissimulé qui émerveillait le jeune garçon que j'étais. J'avais à plusieurs reprises exprimé le souhait d'aller voir chez lui les collections de l'oncle Edgar ; ce désir se heurtait systématiquement à un refus parental catégorique.

Edgar-la-folle vivotait d'articles sur les ballets, il était célèbre pour une ode « aux graciles tendons des jeunes éphèbes en pointes ». Edgar-le-collectionneur écumait les puces et les salles des ventes depuis plus de cinquante ans. Il appartenait à la branche pauvre de la famille et vidait son compte bancaire en chines et gigolos divers. L'âge avançant, le compte s'épuisait.

La dernière fois que je rencontrai l'oncle Edgar, il avait regardé avec beaucoup d'attention ma collection de gommes, qui se montait à quatre-vingt-quinze et possédait de nombreuses variantes, avec désormais des voitures, des personnages, des végétaux. Ma gomme favorite représentait un haricot géant et sentait un parfum difficile à définir, qu'avec les années je baptiserais pourtant : fenouil sucré. Dans son manteau-cape noir qui ne le quittait jamais et du haut de son mètre quatre-vingt-dix, il m'avait dévisagé avec un extrême sérieux.

— Si tu dois devenir un vrai collectionneur, tu dois comprendre une chose : les objets, les vrais objets, avait-il insisté en pointant l'index en l'air, gardent en eux la mémoire de ceux qui les ont possédés.

Je l'avais regardé à mon tour, un peu en retrait et légèrement effrayé par cette déclaration solennelle.

— Tu comprends ? avait-il enchaîné.

J'avais acquiescé.

— Qu'est-ce que tu as compris ? avait souri l'oncle Edgar, en s'agenouillant pour se mettre à ma hauteur.

— S'ils sont anciens... avais-je murmuré.

— Continue, mon garçon... S'ils sont anciens...

— Ils gardent les âmes, avais-je prononcé à toute allure, sans quitter des yeux le regard bleu de mon oncle.

Celui-ci avait cessé de sourire et m'avait toisé avec le plus grand respect. Il avait hoché imperceptiblement la tête, ce que je pris pour de l'admiration et qui était encore plus que cela : de la reconnaissance.

Le lendemain, je revendis pour la somme exorbitante de 500 francs en espèces l'intégralité de ma collection de gommes. Marie-Amélie Clermont, huit ans, collectionneuse de gommes débutante, était tombée en arrêt, durant une récréation, devant les trésors que j'avais apportés dans mon cartable. Elle avait émis le souhait d'acquérir ma collection tout entière, j'avais refusé. Considérant désormais que les gommes étaient sans âme, puisque sans passé, n'ayant eu aucun propriétaire avant moi, j'avais changé d'avis et décidé de m'en séparer. La transaction eut lieu à l'heure du déjeuner. Marie-Amélie, de retour chez elle, prétexta une quête de l'abbé Picard pour les petits martyrs de l'Ouganda. Elle soutira à ses parents les 500 francs que j'avais exigés pour la vente. Doublant ainsi ma mise de départ, j'appris ce jour-là le sens des affaires ; j'avais huit ans et demi. À quatorze heures, au premier étage, avant le grand cours, la collection changeait de mains. Marie-Amélie se retrouvait à la tête de cent neuf gommes en ajoutant les quatorze de sa collection personnelle. Moi, je serrais dans ma main moite le mythique Pascal, avant de le glisser dans la poche arrière de mon pantalon de flanelle grise.

Bien des années plus tard, je rencontrai Marie-Amélie dans un couloir du palais, elle y attendait le jugement d'un litige sur ses propriétés familiales de Noirmoutier. Immédiatement, je lui rappelai l'affaire des gommes.

Elle n'en avait aucun souvenir.

Durant mes années d'université, je consacrais une partie de mon budget d'étudiant à la chine. J'accumulais déjà de nombreuses pièces et j'en revendais certaines car, parfois, les objets perdent de leur pouvoir ; celui-ci se délite avec les ans. Le compteur Geiger de l'affection, lorsqu'on le pointe sur telle ou telle pièce, ne réagit pas de même. Il grésillera toujours aussi fort pour ce bougeoir à dauphins du XVIIᵉ siècle, et peinera à émettre un chuintement pour cette cuillère d'or aux armes de France, que l'on avait pourtant guettée de longs mois dans la vitrine de l'antiquaire. Il devient alors possible de se séparer de la cuillère sans regrets tandis que la vente du bougeoir restera un arrachement. Cette réévaluation affective et spontanée des objets m'est toujours demeurée des plus mystérieuses.

Doublant, triplant et quintuplant parfois ma mise de départ, cette particulière aptitude au commerce de l'art m'évitait les petits boulots parallèles qu'effectuaient certains de mes camarades. Parfois en une après-midi il m'arrivait de gagner plus qu'eux en un mois, ce que je me gardais bien de révéler à quiconque. Pourtant, si j'accumulais les objets, il n'en était pas de même avec les jeunes filles.

Au cours de cette période je n'avais pas de petite amie et tombais régulièrement amoureux de filles qui n'éprouvaient pas les mêmes transports à mon égard. Faire la cour à une femme qui se refuse poliment occasionne une frustration équivalente à celle de regarder un objet dans la vitrine d'un musée : être condamné à le toucher avec les yeux, ne jamais pouvoir le faire sien.

Briser la vitrine, s'en saisir et partir en courant vers la sortie est toujours une chose possible. Possible, certes, mais tout aussi inimaginable que de se jeter sauvagement sur le corsage de la jeune femme qui a accepté de prendre un verre avec vous et vous explique avec douceur qu'elle vous aime bien, mais…

Considérant qu'il était inenvisageable de rester vierge plus longtemps, c'est une fois de plus dans mon instinct de collectionneur que je trouvai la solution. Habitué à obtenir ce que j'aimais grâce à l'argent, je me mis à fréquenter les prostituées.

Suivant les traces de l'oncle Edgar, qui réinvestissait les bénéfices de ses ventes d'objets d'art dans l'achat d'une heure de giton, je dilapidais mon argent liquide dans les bras des filles. Il y eut Magali, Maya, Sophia, Marilyn, Samantha et tant d'autres encore. Pris dans cette infernale spirale de la volupté surtaxée, presque toutes mes collections d'alors y passèrent. Je vendis ainsi à un commissaire de police de la brigade des mœurs – divin hasard – mon ensemble de tabatières de bagnards. Finement sculptées dans des noix de corozo, les prisonniers avaient laissé libre cours à leur imagination érotique ou meurtrière. Ce fut ensuite le tour de mes pensées de baccarat, petits presse-papiers qui enferment une réplique de la fleur dans le cristal, puis de mes tire-bottines en ivoire à motifs de jambes et mes bouchons de radiateur en forme d'animaux. Je troquais alors les objets contre les femmes.

Quelques années plus tard, les soirées étudiantes se terminaient certes parfois par une conquête qui se transformait en éphémère liaison. Mais soit ces jeunes femmes me quittaient parce que je ne voulais pas m'engager plus avec elles, soit c'était moi qui partais par manque de motivation. Il est très difficile de prononcer des mots d'amour que l'on ne pense pas, on a l'impression de se mentir à soi-même, ce qui est encore plus douloureux que de mentir à l'autre.

— Tu collectionnes les petits objets morts, m'avait dit un jour l'une de ces jeunes femmes.

Elle étudiait la psycho et devait voir en moi un cas intéressant dont elle avait toutefois du mal à cerner la personnalité. Je crois aussi qu'elle me reprochait de m'intéresser davantage à mes petits objets morts qu'à elle-même. Cette sensation de reproche me poursuivrait durant toute ma vie de collectionneur.

En thèse je rencontrai Jean Chevrier. Il me présenta Charlotte, une jeune femme dont il avait fait la connaissance peu de temps auparavant parmi les étudiants de DEA. Une femme à laquelle s'intéresse un de vos amis est tout de suite plus attirante.

*
* *

Dans les premiers temps de notre vie commune, Charlotte trouvait ma passion des objets anciens amusante, avant de la considérer tout simplement encombrante. Au fil des ans, deux, puis trois voire quatre ou cinq tableaux s'accumulèrent sur chacun des murs de l'appartement. Les boules presse-papiers se reproduisaient sur la commode comme des champignons, les bronzes animaliers tournaient au zoo et mes tabatières vides auraient pu contenir de quoi faire sniffer toutes les armées de l'Empire.

Ces dernières années Charlotte avait organisé l'exil de mes collections. Empereur isolé, j'exerçais ma dictature sur un territoire de quinze mètres carrés, passant en revue mes troupes immobiles durant de longues heures solitaires : sulfures, ferronneries, coffrets, serrures anciennes, lettres autographes. Mes aînés, Gulbenkian, Sacha Guitry et même Serge Gainsbourg, avaient eu des hôtels particuliers entiers à consacrer à leurs innombrables collections ; moi, à mon humble niveau, je me contentais de mon « bureau ». Je rêvais à la demeure disparue du grand Sacha, 18 avenue Élisée-Reclus, et aux fabuleuses collections dispersées du maître. J'en possédais une relique, cette gravure anonyme de Napoléon sur l'île d'Elbe, tamponnée au dos « ancienne collection Sacha Guitry ». L'Empereur avait le visage tourné vers la mer, les yeux dans le lointain. Il se voyait encore un avenir. Comme lui, j'allais moi aussi m'évader.

Pour bien plus de cent jours.

— Numéro 46… Miroir Restauration, au mercure… annonça le commissaire-priseur.

— Très beau, ce miroir avec ses anges, compléta l'expert d'un ton monocorde dans son micro grésillant.

Debout comme toujours au fond de la salle, j'attendais le 48, le cœur battant. Une fois de plus je ressentais le shoot de la vente aux enchères : une impression de vitesse, de nausée, une excitation et une angoisse. La sensation de conduire une voiture à toute allure, sur une route les yeux bandés. Allais-je l'avoir mon cher objet ? Mon cher tableau ? Y avait-il assez d'essence dans mon portefeuille ?

J'étais repassé en hâte au cabinet, annulant tous mes rendez-vous de l'après-midi, sans donner aucune explication. Il était hors de question pour moi de laisser un ordre d'achat et de voir ce portrait s'en aller sur une autre enchère que la mienne.

Après notre longue confrontation silencieuse où je m'étais placé face à lui, mon reflet s'imprimant sur le verre qui le protégeait telle une décalcomanie, je m'étais dirigé vers la table de l'étude pour en demander le prix. J'avais regardé la jeune stagiaire avec insistance, attendant qu'elle relève cette ressemblance prodigieuse. Tandis qu'elle cherchait dans sa liste photocopiée, j'avais insisté :

— Ce portrait… il est étonnant, quel regard ! m'étais-je enflammé.

Trop affairée, elle n'avait fait aucun commentaire sur la ressemblance.

— Numéro 48, 1 500-2 000 euros monsieur.

Un certain prix, mais j'en avais les moyens. Et ce portrait de moi devait me revenir, absolument.

— On ne sait vraiment pas qui c'est ? Il y a pourtant un blason… avais-je poursuivi en la regardant, toujours un peu trop fixement certainement puisqu'elle avait baissé les yeux.

— Non, l'expert n'a pas fait de recherches.

— Quel dommage, il faudra que je m'en charge moi-même.

— Voulez-vous nous laisser un ordre ?

— Certainement pas, je vais venir, avais-je dit, toujours sans la quitter des yeux.

— Autre chose, monsieur ?

— Non.

Je m'étais éloigné, laissant la place à un vieillard à Sonotone. La jeune fille était obligée de forcer la voix pour le renseigner sur des porcelaines. J'étais reparti vers mon portrait afin de me mettre bien en dessous, appuyant le coude sur le rebord de velours rouge du mur et gardant cette position sous le pastel, j'avais tenté d'accrocher le regard des visiteurs. En vain.

— 700 !

Le marteau venait de s'abattre pour le miroir au mercure.

— Numéro 47, une paire de girandoles, montrez commissionnaire.

Le commissionnaire tendait la paire de girandoles à bout de bras, d'un air revêche, comme s'il s'agissait de bottes de poireaux.

— 500 ! personne à 500 ? ! C'est pas cher pour des girandoles ! Bon 400 ! 50, voilà on se réveille, 500 on y arrive, 50, 600… Monsieur Steiner ? fit le commissaire-priseur à l'intention d'un marchand qui secoua la tête.

— 600 à droite, reprit le crieur. Monsieur aux cheveux blonds, ajouta-t-il entre ses dents.

Coup de marteau. Le crieur s'éloignait le bordereau à la main vers un monsieur aux cheveux blonds.

— Numéro 48, portrait.

Voilà, c'était moi. Le pastel arrivait entre les mains du commissionnaire.

— C'est très beau ça ! ajouta aussitôt le commissaire-priseur.

Il m'inquiétait à soudainement faire l'article à ce point.

— On n'a pas cherché ni l'auteur ni le personnage ?

Lui aussi ça le chiffonnait cette histoire d'ano-
nymat.

— Non, on n'a pas cherché, on n'a pas eu le
temps, répondit sèchement l'expert, visiblement
piqué par la remarque du commissaire-priseur.

La jeune fille qui m'avait renseigné mâchon-
nait discrètement un chewing-gum en me
regardant. Elle baissa les yeux vers un carnet,
décrocha un téléphone et composa un numéro.

Cette fois ma stratégie consistait à ne pas me
manifester tout de suite, à arriver vers les 1 500.
Cela pourrait créer un petit effet de surprise non
négligeable.

— Commençons à 1 000, 1 000 euros ! 1 200,
1 400, 500...

Je vissai mon regard dans celui du commissaire-
priseur et levai rapidement la main.

— 800, dit-il en me voyant.

— 2 000, répliqua le crieur.

— 200, reprit le commissaire-priseur sur mon
signe.

— 2 400, ajouta-t-il aussitôt, en se tournant
vers la gauche.

— 2 600, 800.

— 3 000 sur ordre, annonça l'expert.

— 200, reprit le crieur qui venait de repérer
un nouvel enchérisseur.

— 400, enchaîna le commissaire-priseur sur
mon geste de la main.

— 3 400 !...

— 600, 800.

— 4 000, sur ordre, poursuivit l'expert.

— 500, ajouta soudainement la jeune fille au téléphone.

Je la regardai d'un air de reproche, comme si la malheureuse était responsable de son ordre. Le commissaire-priseur me fit un petit signe du menton.

— 700, dit-il sur mon hochement de tête.

— 5 000, répondit la jeune fille.

J'acquiesçai à nouveau de la tête.

— 5 200, reprit le commissaire-priseur.

Il y eut un temps mort, durant lequel la jeune fille parlait dans le combiné.

— 5 200 euros ! cria le commissaire-priseur.

— 6 000, reprit la jeune fille.

— Voulez-vous 6 500 ? me demanda le commissaire-priseur.

J'acquiesçai.

— 6 500 euros !

— 7 000, répondit la jeune fille.

Jusqu'où pouvais-je aller ? Je commençais à m'angoisser.

— 500 ! dis-je à voix haute.

— 8 000, répondit la jeune fille.

— 200 ! criai-je, tentant de freiner les enchères.

— 500 ! ajouta-t-elle.

— 700 ! répondis-je.

— 9 000 ? l'interrogea le commissaire-priseur.

La jeune fille acquiesça.

— 9 500, répondis-je.

Quelque chose s'était emballé dans cette vente, je me sentais comme en apesanteur. Plus rien n'avait d'importance, c'était comme si j'allais mourir demain.

— 9 500, reprit le commissaire-priseur.

— 600, annonça la jeune fille.

— 800, reprit le commissaire-priseur sur mon battement de paupières.

La jeune fille annonça l'enchère au téléphone, je voyais ses lèvres bouger, puis elle secoua la tête à l'intention du commissaire-priseur.

— 9 800 ! reprit-il aussitôt, tandis que la jeune fille raccrochait.

— 9 800 ! annonça bien clairement le commissaire-priseur à toute la salle.

« Tu vas l'abattre ton marteau, mon salaud », pensai-je.

Il le tenait en l'air, en suspens. J'étais en nage et je commençais à respirer avec difficulté. 9 800. Impossible d'aller plus loin, avec les frais j'en avais déjà pour presque 12 000 euros. Impossible de contrer une nouvelle enchère. J'avais envie de me jeter sur lui et de lui plier le bras sur la table pour le lui faire claquer, son marteau.

— Plus personne pour couvrir cette enchère ? pérorait-il.

Enfin je vis le début du mouvement, le marteau descendait à toute allure vers le bureau. Il allait claquer. Maintenant... Maintenant... Oui ! Le portrait était à moi.

Tendresse du pastel. La poudre était finement déposée sur le papier en plusieurs couches. Toutes translucides elles se superposaient avec harmonie. J'avais repensé un instant à cette poudre qui m'était restée sur les doigts le jour où j'avais touché la joue de l'oncle Edgar.

— Fascinant, avais-je murmuré en observant le visage tout en avalant une gorgée de Bowmore.

Il me fallait bien cela pour me remettre de mes émotions. Puisque j'avais pris mon après-midi, j'étais rentré directement à l'appartement et avais installé mon portrait sur le canapé du salon. Le pastel rendait admirablement les miroitements de la soie bleue du costume. La perruque poudrée, à la Louis XV, se terminait en fins rouleaux au-dessus de mes oreilles. Sûrement, dans le dos, je portais un fin catogan noué d'un ruban du même bleu, très à la mode au XVIIIᵉ siècle.

Les yeux me dévisageaient, leur couleur était indéfinie, mais le petit point de craie blanche qu'avait écrasé l'artiste à la naissance de chacune des pupilles leur conférait à jamais l'éclat de la vie. Je me déplaçais de gauche à droite devant lui. Il me suivait du regard. J'avais lu que seule la Joconde possédait ce don. C'était assurément faux puisque le portrait de moi en faisait autant.

Sur un fond sombre, que l'on pouvait à première vue définir comme marron foncé, mon personnage était en réalité cerné d'un halo aux couleurs variées. Brun, vert, terre, ardoise, il comportait d'infimes nuances de poudre. En haut, à droite, l'artiste avait reproduit le blason qui pourrait permettre de retrouver le nom de l'homme en perruque.

Je terminai mon verre d'un trait. Charlotte n'allait pas tarder à rentrer, je ne pouvais pas lui avouer le prix que j'avais payé ce tableau. C'était impossible. Une subtile manipulation bancaire me suffirait à dissimuler les 11 760 euros. Depuis la vente de ma collection de gommes pour 500 francs en espèces, j'avais gardé un goût des transactions en argent liquide qui ne s'était jamais démenti. Ainsi, j'avais dans mon bureau un petit coffre-fort qui contenait une belle liasse de billets de 500 euros. Cet argent résultait de quelques consultations « amicales » effectuées à la demande de clients qui n'en étaient pas. Mon métier avait sa part d'ombre, elle dormait dans le coffre de mon bureau. Souvent je me disais qu'elle n'était pas dans cette pièce par hasard, cette liasse. Qu'elle faisait partie intégrante de mes collections. Je collectionnais les billets mauves de 500. Tous allaient y passer. Peu importait.

1 500. 1 800 euros. Oui, je pouvais avouer ce prix à Charlotte, elle accepterait. Si je lui annonçais 11 760 euros, j'aurais droit à une scène incendiaire. Au-delà de cette question financière, c'était surtout sa réaction que j'attendais avec impatience. Je me resservis un deuxième whisky. Cette fois j'y rajoutai de la glace et revins dans le salon m'agenouiller devant le pastel, comme en dévotion devant moi-même. Mon nez... C'était mon nez. Et ma bouche aussi, l'artiste l'avait relevée d'un peu de poudre rouge pour trancher plus nettement avec le teint des joues... Et ces oreilles étaient aussi parfaitement semblables aux miennes. Le bruit des clefs dans la serrure me fit tourner la tête.

— Tu es là ?

— Je suis là, répondis-je, vidant d'un trait mon whisky pour dissimuler la quantité que je m'étais versée.

— Déjà rentré ? dit-elle en retirant sa fine écharpe de soie mauve qu'elle ne quittait pas passé les premiers jours de l'été.

De loin, ses yeux s'étaient posés sur le portrait.

— Tu es encore allé à Drouot ? Mais arrête avec ça Pierre-François, tu es en train d'envahir à nouveau le salon.

Elle s'était avancée, je l'avais suivie du regard, guettant sa réaction.

— Tu ne remarques rien ?

— Qu'est-ce que je suis censée remarquer ? lâcha-t-elle d'une voix agacée.

— ... Mais enfin ! La ressemblance ! Elle est hallucinante cette ressemblance. C'est moi !

— Quoi ? fit-elle avec une grimace dégoûtée. Ce type ne te ressemble pas du tout, qu'est-ce que tu vas chercher ? Bon, quoi qu'il en soit, je ne veux pas le voir dans le salon. Tu le mettras dans ton bureau.

Charlotte était sortie de la pièce, je l'avais suivie des yeux, hébété, assommé, abasourdi. Dans une demi-conscience, qui ne devait rien à l'alcool, j'entendais ses pas dans le couloir qui menait à la cuisine, la porte du frigidaire, puis les pas à nouveau. Elle était revenue, un verre de jus d'orange à la main. Elle le but avec un air de défi tandis que nous nous regardions en silence.

Rien ne serait plus comme avant entre nous.

C'est certainement cette nuit-là que commencèrent mes rêves. Ou plutôt mon rêve. J'ai même un temps songé à prendre contact avec un psy afin qu'il m'explique ce que j'entrevoyais pourtant déjà. Il dura tout le temps de mes recherches ; il s'imposait à moi tous les deux ou trois jours.

Durant mes nuits, tandis que mon corps était sagement étendu sous les couvertures, mon esprit, lui, se promenait en d'étranges contrées. Des rêves, je n'avais jusqu'à présent, et encore très rarement, exploité que le filon érotique. J'avais ainsi fait quelques années plus tôt une sorte de fixation bien involontaire sur la jeune fleuriste du quartier. Pendant plusieurs semaines elle vint me supplier dans mon sommeil de lui faire subir les derniers outrages dans son magasin ; invariablement au rayon des cactus et des plantes carnivores. Je fus obligé de changer de fleuriste. Il m'était devenu impossible d'acheter des roses à Charlotte sans que les visions pornographiques de la nuit ne me traversent l'esprit. Je devins client d'une autre boutique, bien plus loin sur le boulevard. Le gros homme moustachu qui ficelait mes bottes de roses n'apparut jamais dans aucun de mes songes.

Le rêve qui vint peupler mes nuits n'avait rien d'érotique. Je marchais dans un paysage désolé, le bitume, à moins que ce ne fût la terre, avait été remplacé par des cendres. Les façades des maisons aussi étaient couvertes de cendres. Impossible de savoir si j'étais dans mon siècle ou dans le passé. Ce décor apocalyptique d'une ville morte et couverte de poussière, je ne l'avais vu que dans les images de New York, le 11 septembre 2001. Pourtant, dans mon rêve, aucune catastrophe ne s'était produite. Cette ville fantôme dans laquelle je marchais était plongée dans le silence et la cendre depuis très longtemps, peut-être même depuis toujours. J'avançais dans les rues vides, salissant de poussière mon complet, et je cherchais une présence humaine. Il n'y en avait pas. Arrivé à une petite place, une sorte de *campo* vénitien, j'y découvrais une guillotine, bien plus moderne que les machines de la Révolution. Je ne pouvais m'empêcher de penser qu'on l'avait fabriquée peu avant et je ne comprenais pas son usage. « La peine de mort a disparu, me disais-je. Qui a pu faire fabriquer cela ? » Je restais de longues minutes à me poser la question, en inspectant l'objet sous toutes ses coutures, quand des mains invisibles me saisissaient par-derrière et me soulevaient de terre.

On m'emmenait, quasiment à plat ventre, de force sur l'échafaud. « Plaît-il ? Plaît-il ? », disais-je, en me souvenant que c'était là une expression de mon oncle, que jamais pourtant je ne prononçais. Je me sentais aussi léger qu'une plume et au lieu de me débattre et de hurler, je pensais qu'il ne serait pas inintéressant de ressentir sur ma nuque cette « fraîcheur » dont parlait l'inventeur, de l'éprouver, par simple curiosité, puisque après je n'aurais plus qu'à reprendre ma tête dans le panier et me la reposer sur le cou afin que tout redevienne normal.

La guillotine s'abattait dans un silence ouaté et je ressentais à peine ladite fraîcheur, j'étais plutôt déçu. Je me penchais vers le panier qui devait recueillir ma tête pour découvrir que celle-ci ne s'y trouvait pas. J'ignore comment je pouvais constater cela, puisque j'étais censé ne plus avoir de tête, mais les rêves s'accommodent fort bien de ce genre d'inconvénient.

Cette histoire de tête disparue me plongeait dans une profonde angoisse. Je devais absolument la retrouver pour me rendre au travail sinon personne au bureau ne me laisserait rentrer, car personne ne pourrait me reconnaître.

L'angoisse puis la panique m'étreignaient, il n'y avait pas âme qui vive à qui je puisse confier mon problème de tête qu'il fallait retrouver à tout prix. Enfin, la panique montait à un point d'incandescence où je croyais percevoir les premiers symptômes de l'infarctus, lorsque le décor s'éclairait.

Les cendres étaient remplacées par du sable, fin et brûlant, couleur de miel. Je ne portais plus mes mocassins et je ressentais une forte chaleur contre la plante de mes pieds. Je constatais la disparition de ma chemise et de ma cravate. Je ne portais plus que mon pantalon de complet noir. La guillotine, elle aussi, avait disparu. Une femme d'une beauté surprenante se tenait devant moi. Je la savais belle, mais je ne pouvais la voir. Je m'approchais d'elle et j'apercevais qu'elle tenait ma tête entre ses mains. Elle aussi s'avançait vers moi, et de ne pouvoir distinguer les traits de son visage me plongeait dans une immense détresse. Enfin, elle posait ma tête sur mes épaules. À l'instant même je revenais à la vie et à peine avais-je ouvert la bouche et les yeux que ses lèvres se collaient aux miennes pour un baiser.

Je ne pouvais pas voir son visage, mais ce qui me tourmentait l'instant d'avant ne me contrariait plus. Peu m'importait son visage, j'étais amoureux. Follement amoureux.

Une question alors me venait à l'esprit : pourquoi avait-elle ma tête entre ses mains ? Je m'apprêtais à me défaire de ses lèvres pour le lui demander.

La question ne trouvait jamais de réponse, c'était à cet instant que je me réveillais, rompant le rêve et le baiser.

Lors de ces réveils j'éprouvais un profond sentiment d'abandon. Je voulais absolument retrouver cette femme, même s'il fallait pour cela revivre la ville poussiéreuse et la guillotine. Je tentais de me rendormir au plus vite, mais je n'arrivais pas à retrouver mon rêve.

Le soir même de l'arrivée du portrait, nous reçûmes à dîner un couple d'amis. Pendant l'apéritif, je ne résistai pas au plaisir de leur montrer ma dernière trouvaille. Je m'éclipsai vers mon bureau et revins en tenant fièrement le pastel dans les bras. Je le posai sur un fauteuil, attendant les réactions. Charlotte allait être confondue, son manque de sens visuel exploserait au grand jour. Ce que j'appelais de tous mes vœux ne se produisit pas et Charlotte se fit un plaisir d'orchestrer ma déception en lançant :

— Pierre-François trouve que ce tableau lui ressemble.

Nos amis poussèrent de grands cris indignés.

Se pouvait-il que personne ne voie ce que moi je voyais ? Oui, cela se pouvait. Simon, qui passait ses journées devant les écrans de la bourse, Nathalie, qui comptait et recomptait ses stocks de tailleurs chez Chanel, comment ces deux êtres pouvaient-ils avoir encore des yeux ?

Regards gâchés par la modernité, abêtis par les couvertures des magazines et les panneaux Dauphin de la publicité. Ils ne pouvaient plus rien voir.

Peu avant de me coucher, je me replongeai dans mon livre de chevet : *Monsieur de Phocas* de Jean Lorrain, à la recherche d'une phrase sur le regard. Je compulsai fiévreusement tout le roman. Des phrases sur le regard, il y en avait des centaines, monsieur de Phocas faisant une véritable fixation sur les yeux, lisant dans les iris toutes les déliquescences mortifères et érotiques imaginables. J'avais pourtant le souvenir d'un court paragraphe sur les yeux modernes incapables de voir.

— « Les yeux modernes ? Il n'y a plus d'âme en eux ; ils ne regardent plus le ciel. Même les plus purs n'ont que des préoccupations immédiates : basses convoitises, intérêts mesquins, cupidité, vanité, préjugés, lâches appétits et sourde envie. Voilà l'abominable grouillement qu'on trouve aujourd'hui dans les yeux. Âmes de notaires et de cuisinières. Voilà pourquoi les yeux des portraits de musée sont si hallucinants ; ils reflètent des prières et des tortures, des regrets ou des remords. Les yeux c'est la source des larmes ; la source est tarie, les yeux sont ternes, la foi seule les faisait vivre, mais on ne ranime pas les cendres. Nous marchons les yeux fixés sur nos souliers : nos regards sont couleur de boue. Quand des yeux nous paraissent beaux, c'est qu'ils ont la splendeur du mensonge, qu'ils se souviennent d'un portrait, d'un regard de musée ou qu'ils regrettent le passé. »

Debout au milieu de la chambre, je terminai la lecture à voix haute, j'y avais mis tant d'entrain que j'étais comme essoufflé. Couchée sur le lit, Charlotte me regardait silencieusement. Elle tenait à la main un magazine féminin. Sur la couverture, une jeune fille blonde en bikini bleu souriait sans raison.

— Où veux-tu en venir ? me demanda-t-elle calmement.

— Vous ne savez pas voir, répondis-je. Vous ne savez plus voir, Jean Lorrain l'écrivait déjà, il y a plus de cent ans.

— Que tu ressembles au type du portrait, c'est ça ? Si ça peut te faire plaisir, lâcha-t-elle en se replongeant dans le magazine.

J'avais déchiffré le titre de couverture : *Mes seins et moi*.

La prose de Jean Lorrain n'avait aucunement éveillé l'intérêt de ma femme. Je me sentais comme bafoué et je m'apprêtais à lui demander si c'était tout ce que ses seins et elle avaient à me dire sur mon portrait, quand Charlotte releva la tête vers moi.

— Au fait, combien l'as-tu payé ton tableau ?

— 11 760 euros, avec les frais.

De la scène de ménage qui suivit, je garde un souvenir confus. Lorsque j'y repense c'est le plafond de mon salon que je revois.

Charlotte se releva brusquement du lit pour se rendre au salon, comme si le portrait devait être lui aussi témoin de cette scène. À un moment elle leva les yeux au ciel, avant de se remettre à crier. Je pensai que cette expression : « lever les yeux au ciel » trouvait bien là son illustration. J'avais quelques années plus tôt fait refaire mon plafond par un artiste des musées nationaux. Dans le ciel qu'il avait peint flottaient des petits nuages type cumulus qui viraient au rose vers le bord des moulures. Une merveille. Tous les billets de 500 du coffre occulte y étaient passés. Ce soir-là, je souhaitai que la pression atmosphérique de mon plafond change, que les nuages de coton se transforment en énormes masses sombres, que le tonnerre explose et qu'un éclair foudroie cette femme qui criait devant moi.

Peu importaient le prix du tableau, les reproches et les glapissements de Charlotte quant à mon inconscience face aux enchères. Elle n'avait pas vu ce qui m'avait sauté aux yeux dès le premier regard, cette ressemblance entre le personnage et moi. Charlotte ne me voyait pas. C'était la seule explication. Depuis combien de temps étais-je ainsi transparent à ses yeux et à ceux des autres ?

À un moment, Charlotte m'arracha le livre des mains. Elle le retourna et lut à voix haute, sur un ton triomphant, la sommaire biographie de l'auteur :

— « Jean Lorrain, dandy fardé, homosexuel, éthéromane ; il est le chroniqueur de la déca-dence », voilà tes lectures ! enchaîna-t-elle, avant de poursuivre, mélangeant la passion des objets, la ruine et les mœurs de l'oncle Edgar, que j'avais eu l'imprudence de lui raconter.

Cette distance froide qui régna entre nous les jours suivants atteignait son comble à l'heure du coucher. Je ne la désirais plus du tout. Je ne voyais plus en elle qu'une rivale, un esprit ayant finalement toujours refusé de s'accorder au mien. Pour tout dire, une ennemie. Comme si elle avait conscience de son nouveau statut à mes yeux, Charlotte organisait ses troupes, recrutant parmi nos proches.

— Montre-leur ton portrait ! clamait-elle dans le salon lors des apéritifs ou des dîners.

La même scène se reproduisait alors :

— Pierre-François trouve que ce tableau lui ressemble...

Un matin, j'emmenai mon portrait au bureau. Après avoir passé une demi-heure à chercher un marteau, un clou et une pince, j'arrachai le crochet qui maintenait depuis dix ans la vieille affiche entoilée de la compagnie transatlantique. Enfin, j'étais en train d'accrocher mon portrait, perché sur un tabouret branlant, lorsque Chevrier poussa ma porte. En sueur et cramoisi, je me tournai vers lui.

— C'est qui ? demanda-t-il innocemment.

Je décidai de remettre la compagnie transatlantique à sa place et je rapportai le pastel à l'appartement.

Quelques jours plus tard, je me relevai en pleine nuit afin de tenter une expérience qui m'était venue à l'esprit alors que j'allais m'endormir. Et si ce pastel ne s'adressait qu'à moi ? Peut-être renfermait-il quelques vibrations secrètes qui agissaient à la manière d'un écran pour le regard des autres.

Je disposai le portrait à plat sur le parquet du bureau. En pyjama et à quatre pattes je me mis à essayer de faire tourner un pendule au-dessus du pastel. Le sens des aiguilles d'une montre ou l'inverse ? Il m'était impossible de me souvenir des règles de base. Je relevai la tête, dans l'entre-bâillement de la porte Charlotte me regardait en silence. – Essaye avec un guéridon, lâcha-t-elle d'un ton neutre avant de retourner se coucher.

Cette idée de l'occulte ne me parut pas si idiote. Je me mis à feuilleter un gros ouvrage acheté durant mes années d'université. Une édition tardive du XIXe siècle, mais qui reprenait à la lettre les recettes et préparations magiques des sorcières et autres mages de nos provinces. Le chapitre consacré aux potions de « clair-voyance » retint particulièrement mon attention. Il détaillait tous les mélanges à concocter pour faire voir à autrui ce que son cerveau se refusait à admettre. C'était exactement ce qu'il me fallait.

« Le sang d'une chauve-souris, une pomme cueillie par un jeune puceau, la poudre des griffes d'un rat, une plume de hibou. Broyer ces éléments, faire macérer dans l'hydromel sept jours et sept nuits, avant de servir. »

Considérant que ces produits, d'un usage peu courant, seraient assez durs à trouver dans mon Monoprix, qu'il serait également délicat de demander des détails sur sa vie sexuelle à mon marchand de fruits et légumes, je me rabattis sur une citronnade de papillons à la poudre de licorne, moins complexe à réaliser. La corne de licorne n'était en fait que la pointe d'un narval, j'en possédais justement une dans mon bureau. Les treize papillons mentionnés pouvaient facilement être soustraits à mes collections. La préparation me semblait assez simple et je me proposais de la faire boire en douce à Charlotte et aux prochains visiteurs qui franchiraient le seuil de l'appartement, lorsqu'une petite précision attira mon regard : les papillons devaient être vivants avant de passer à la casserole. La faune de la ville étant extrêmement limitée, la chasse de treize papillons, même envisagée sur plusieurs années, risquait de tourner court.

Je finis par renoncer, autant à ces expériences gastronomiques qu'à convaincre mon entourage.

*
* *

— Va donc chercher ton tableau, Pierre-François.

— Non.

— Pourquoi cela ?

— Mes collections ne regardent que moi. Je ne partage pas, répondis-je sèchement ce soir-là, en avalant mon jus d'orange.

Nos invités et ma femme m'observèrent en silence avant que l'un d'entre eux n'enchaînât sur un timide :

— Et ton travail ? Tu es sur quoi en ce moment ?

Je partis sur un résumé de la Durit BN-657 dont je me désintéressais parfaitement. Désormais toute mon attention était portée sur les blasons. Je passais mes soirées sur Internet à éplucher en détail les centaines de pages consacrées à l'héraldique. Détective de moi-même, je remontais la piste avec l'obstination d'un navigateur solitaire en pleine tempête.

Le blason qui orne mon incroyable portrait était devenu pour moi une véritable obsession. Il était la clef du personnage, presque son ADN. Dans la partie gauche, un chat noir debout sur ses pattes arrière fait face à une épée moye-nâgeuse, la lame pointée vers le ciel. Dans la partie droite, une sorte de carotte à forme humaine. Le chat et l'épée sont sur fond blanc, le légume sur fond noir. Plus je le regardais, plus le chat me paraissait accomplir un tour de magie ; ses deux pattes griffues tendues devant lui avaient l'air d'exercer Dieu sait quel pouvoir sur l'épée, la soulevant dans l'air par sa seule volonté. Ce soir-là, tandis que je le comparais à un piètre équivalent trouvé dans les quatre cent cinquante-sept pages du fichier web « boucliers des maisons de France », la voix de Charlotte me parvint de la salle à manger. Depuis quelques jours, je notais dans l'intonation de ma chère épouse une légère tendance à s'envoler vers les aigus.

Il est vrai que je passais désormais mes soirées entières allongé dans le salon, consultant page par page les dictionnaires ou les documents que j'avais pu trouver sur Internet. Lorsque Charlotte rentrait dans la pièce, je ne levais pas les yeux de mes feuilles. Je ne voyais que ses jambes : un pas désapprobateur, des chevilles excédées.

— À ta-bleu ! cria-t-elle pour la troisième fois.

Sa voix avait dû faire trembler imperceptiblement le cristal du lustre, chiné par mes soins cinq ans plus tôt une après-midi d'été au marché aux puces. Je poussai dédaigneusement ma souris sans fil avant de me diriger vers la salle à manger, puisque à cet instant précis, manger des avocats-vinaigrette était *a priori* la chose la plus essentielle en ce bas monde.

— Tes recherches avancent ? fit-elle d'un ton sucré.

— Non, ça stagne, répondis-je, maussade.

— On ne saura jamais qui c'est, dit-elle, en avalant un morceau d'avocat.

— Si, on le saura, j'en fais le serment ! répliquai-je d'une voix un peu trop théâtrale, ce qui eut pour effet de faire glousser Charlotte.

Son rire aigu monta vers le plafond et je vérifiai rapidement du regard les pendeloques de mon lustre.

Tout comme l'huile de mon avocat, qui restait à la surface de la lourde vinaigrette, quelque chose refusait obstinément de se mêler à mon existence. C'était bien cela que je cherchais désespérément, un mélange, une alchimie qui changerait la matière, à moins qu'elle ne change la vie même. Depuis trois semaines, je mobilisais tous les neurones qui étaient en ma possession, soit une bonne centaine de milliards, pour tenter de mettre un nom sur ce blason inconnu.

— Mange ton avocat.

J'eus le malheur d'émettre un souffle et de prendre une mine contrariée. Telle la mangouste, Charlotte se saisit aussitôt de ma moue et des quelques décilitres d'air que venaient d'expulser mes poumons.

— Il n'est pas bon, c'est ça ?! me lança-t-elle avec défi.

— Mais si, il est très bon… tentai-je aussitôt pour me rattraper. Il est excellent, la présentation, avec cette étoile de citron et de poivrons est tout à fait… exquise.

— Exquise, murmura-t-elle d'un ton venimeux, comme s'il s'agissait là d'une injure.

Elle posa sa fourchette d'argent et me regarda droit dans les yeux. La sourde colère trop longtemps contenue éclata :

— Je n'ai plus faim et j'en ai assez ! cria-t-elle. Tu mangeras tout seul Pierre-François Chaumont !

Cette fois je n'eus même pas à vérifier le cristal de mon lustre pour apprécier le volume sonore. Je m'apprêtais à répondre une phrase apaisante d'un ton neutre, comme font tous les hommes : « Enfin, ma chérie, voyons… » Je n'eus pas le temps. Déjà la porte de la chambre claquait pour aussitôt se rouvrir sur :

— Tu sortiras les cailles !

La porte se referma violemment laissant place au silence et au léger bourdonnement du disque dur.

Quelques instants plus tard, je sortis du four quatre cailles parfaitement cuites. Les volatiles avaient conservé leurs têtes. Ainsi disposés de profil dans le plat de terre, je les examinai d'un œil intrigué. Quatre cailles côte à côte, légèrement décalées, le bec tourné vers l'ouest. Existait-il un blason présentant quatre cailles ?

Étaient-ce les cailles au pommeau ou le délicieux bourgogne ? J'avais envie de faire l'amour et cela en dépit de notre différend du dîner. D'ailleurs, n'était-ce pas là la meilleure façon pour un couple de se réconcilier ? Une dispute préalable n'étant pas sans procurer quelque excitation pour la suite des événements, je m'approchai du lit à pas de loup dans l'obscurité. Plus encore que de faire l'amour avec elle, j'avais envie cette nuit-là de retrouver la jeune fille de la fac.

Où était-elle passée cette Charlotte-là ? Celle qui portait les cheveux longs avec un foulard autour du front en été. Celle qui organisait pour notre petit groupe d'amis de la fac des voyages à des prix imbattables vers les contrées lointaines : Afghanistan, Jordanie, Yémen, Sahara. Tout cela était fini, tout le monde s'était marié, tout le monde avait des enfants. Le temps des copains et des départs était passé. Charlotte s'était coupé les cheveux. Elle n'était plus la femme libre et enthousiaste que j'avais épousée ; et pourtant, c'était celle-là que j'avais envie de retrouver le temps d'une étreinte.

— Qu'est-ce que tu fais ?

— Je te caresse, dis-je d'une voix douce, je caresse ces seins… qui sont à moi, ajoutai-je avec une ironie lubrique.

— Laisse-moi tranquille, me répondit-elle en se retournant.

— Et si je n'avais pas envie de te laisser tranquille, insistai-je, toujours dans le même registre.

— Ah ça suffit… Tu as mangé les cailles au moins ?

Je me relevai dans le lit et j'observai Charlotte, dans la pénombre mes yeux s'étaient habitués. Je regardai sa nuque et son dos : immense poisson froid vautré dans mes draps, parfaitement hostile, sirène frigide et glacée, qu'est-ce qui me prenait de vouloir faire l'amour avec elle ? Depuis un mois, si je voulais bien me l'avouer, je ne la désirais plus du tout. Pourtant je l'avais aimée cette femme, j'avais adoré son corps, ses jambes, ses seins et cette rougeur qui montait le long de son cou lorsqu'elle jouissait. L'amour pouvait-il s'arrêter brusquement sur un malentendu ?

Tout ce que l'on avait vécu n'était-il que malentendu ? À la manière d'un objet acheté, aimé et chéri pour lequel, durant des années, on a rêvé aux époques troublées qu'il traversa : guerre de Cent Ans, Révolution française, siège de Moscou, avant de s'apercevoir un matin qu'il s'agit en fait d'une vulgaire copie exécutée dix ans plus tôt.

M'étais-je trompé de vie ? Quelle était cette vie d'avocat ? En définitive, si j'y songeais bien, je passais le plus clair de mon temps à défendre le progrès des temps modernes à travers tous ces brevets, moi qui n'aimais que le passé. Traître à mes convictions. Imposteur. J'aurais dû devenir antiquaire, profiter de mes fabuleuses dispositions, faire l'école du Louvre, des chartes, devenir conservateur de musée, journaliste d'art, marchand à la biennale, prendre les milliardaires californiens par la main et les initier aux tendres chairs de Fragonard, eux qui ne connaissent que les chromes des Cadillac.

Et de femme, m'étais-je trompé de femme ? Où voulait en venir cette compagne qui se refusait à moi, qui riait de mes recherches et avait repoussé dans une seule pièce de l'appartement toutes ces merveilles que bien des décorateurs m'auraient enviées. Je finissais par penser que Charlotte m'aurait volontiers poussé à mon tour dans mon « bureau ». Elle n'aurait plus eu qu'à tourner la clef dans la serrure de la porte pour se débarrasser de moi. Peut-être n'étais-je au fond qu'un petit objet mort à ses yeux ? Un objet plus encombrant que les autres, un objet qui parlait, soupirait, voulait lui toucher les seins.

Pris de vertige, je retournai m'asseoir devant l'écran de mon ordinateur. Qu'avais-je fait toutes ces années ? Peut-être patiemment rempli un baril de poudre à côté duquel j'étais assis depuis toujours. Il ne manquait plus que l'étincelle qui pulvériserait ma vie. Elle était arrivée, depuis trois semaines je l'avais sous les yeux tous les jours. L'objet de tous mes tourments : le portrait, celui-là même qui portait le blason indéchiffrable. Depuis qu'il était là je sentais mon existence se dissoudre aussi sûrement qu'un morceau de sucre dans de l'eau.

Je repris ma souris. L'écran de veille où j'avais téléchargé une photo en noir et blanc du salon de Sacha Guitry disparut aussitôt pour laisser place à la page du site couverte de blasons. Je cliquai pour aller à la suivante.

Au centre de celle-ci, une sorte de bouclier triangulaire apparut : un chat, une épée, une carotte à forme humaine. Je poussai le curseur vers le blason et cliquai à nouveau. Cette action simple propagea le seul virus capable de détruire mon existence pourtant si bien verrouillée jusqu'alors.

http://www.herald-defranc.org/index_f.tm/trad.
html-87k-france-bourgogne-dom/de/m@ndragore

Mandragore. La lignée des seigneurs de
Mandragore remonte au XIIe siècle, la famille
et le domaine doivent leur nom à une plante.
Aujourd'hui, dans les vignes de Mandragore l'on
retrouve parfois la plante légendaire. Pour en
savoir plus, cliquez sur : *Mandragore, la plante*.

Mandragore, la plante : n. f. lat. *mandragoras*.
Plante des régions chaudes dont la racine tubé-
risée et bifurquée rappelle la forme d'un corps
humain. Autrefois, on attribuait une valeur
magique à la mandragore et on l'utilisait en
sorcellerie.

C'était donc cela, cette carotte à forme humaine
dans les armoiries de cette famille reproduisait
symboliquement la plante des sorciers. Il y avait
bien longtemps que je n'avais entendu parler
de la mythique mandragore et, pas un instant,

je n'avais imaginé qu'elle m'ouvrirait les portes du blason.

— La boucle est en train de se boucler, murmurai-je.

Je sentais confusément que tous les éléments se mettaient en place, cette nuit, pour moi, tandis que Charlotte dormait sous ses couvertures. D'ailleurs, cette nuit n'était-elle pas une nuit de pleine lune, comme celle où l'on doit, selon la légende, déterrer la plante magique ? Je me levai et entrouvris les voilages du salon. Si la lune était pleine, elle refusait de se montrer.

Historique des armoiries des Rivaille-Mandragore de Villardier

Description des armes : « parti, à senestre de sable à la mandragore d'or et à dextre d'argent à un chat passant figuré au naturel du premier, armé et lampassé de gueules, tenant en ses pattes une épée haute d'or », devise « Nul autre que moi », cri « innocent », tenants deux lions, couronne comtale.

Au retour de la cinquième croisade, Aymeric de Rivaille, comte de Villardier, seigneur bourguignon, rapporta des lointaines contrées où il avait séjourné des plants de mandragore. Blessé en Palestine, il fut soigné par des extraits de cette plante aux vertus anesthésiantes. Pourtant déjà considérée en ce temps comme maléfique, il eut l'autorisation de la sainte Église d'en faire pousser sur ses terres afin de prolonger son traitement. Aujourd'hui encore on retrouve quelques rejets de mandragore dans les vignes de Rivaille. Atrophiées par les siècles, leurs racines ne mesurent plus les tailles impressionnantes d'antan. Les terres de Rivaille prirent le nom de Mandragore et la famille adopta ce mot étrange pour patronyme. C'est ce que représente la partie « senestre » de l'écu.

La symbolique du chat, qui occupe la partie « dextre » de ces armes, est plus difficile à interpréter. Le chat, autant que la mandragore, est en effet une figure rarissime dans l'art du blason, où l'on préfère les guépards ou les lions léopardés et autres léopards lionnés. Le chat des Rivaille est d'ailleurs dit « armé et lampassé de gueules », termes employés d'ordinaire pour les lions, et qui signifient que ce chat noir (« de sable ») a la langue et les griffes rouges. De nombreuses thèses se contredisent à propos de son origine légendaire. On retiendra la plus courante : Henri de Rivaille (1540-1583), un jour qu'il chevauchait sur ses terres, fut surpris par un orage. Effrayé par le vacarme son cheval s'emballa et il ne dut son salut qu'à un chat. Perché sur la branche d'un arbre qui donnait sur le chemin, le chat prit peur en voyant arriver le fougueux destrier. Il hérissa ses poils et miaula si fort que le cheval s'arrêta net dans sa course folle. Henri de Rivaille vit dans le comportement du chat la main de Dieu qui, stoppant la course effrénée de sa monture, lui sauvait la vie. Le chat fut recueilli par le comte. Parmi les listes de cette époque dressant l'inventaire du personnel et des habitants du château revient souvent le nom :

« Innocent », qui figure aussi en guise de « cri d'armes » au-dessus de l'écu familial. Il se pourrait qu'Innocent soit le nom du chat.

Henri de Rivaille promulgua ensuite un édit concernant ses terres : il serait désormais interdit d'y poursuivre, chasser, ou tuer un chat. Quiconque serait pris dans l'une de ces trois situations serait puni de mort. Il fit également redessiner son blason. Il y désigna clairement le chat, la mandragore de son aïeul et l'épée familiale. Seule l'épée subsiste des armoiries dites de « Rivaille ancien », les premières armes de la maison de Rivaille qui étaient « d'azur à l'épée d'argent posée en pal », c'est-à-dire verticalement. La position du chat « passant », debout sur ses pattes arrière, pourrait être interprétée comme suit : le chat sauve l'épée de la maison de Rivaille, sa puissance, sa gloire et sa descendance, protégeant pour les siècles des siècles les terres de Mandragore.

Vin

Clos Mandragore, premier cru « les esprits ».

Depuis qu'Aimé-Charles de Rivaille a pris la relève après le décès de son père, en 1998, il a réalisé d'énormes investissements pour reconstruire les caves et acheter de nouveaux équipements. La qualité de ses vins, provenant des meilleures parcelles de la commune de Chassagne-Montrachet, n'a dès lors cessé de s'améliorer. Ce vin rouge de Chassagne possède une couleur rubis plutôt intense. Le nez dévoile toute la maturité de la matière par des arômes de fruits noirs bien mûrs. « Cassis-framboise » avec une légère note boisée, très subtile et bien intégrée. La bouche serrée à l'attaque et très séduisante est dotée d'un parfait équilibre (fruits, tanin, alcool), elle est racée, élégante et fruitée. Un vin de Chassagne complexe et très harmonieux.

Le château

Le château de Mandragore apparaît comme un monument régulier, symétrique et d'un classicisme typiquement français : un corps de logis à fronton richement décoré, et deux ailes en retour à toiture de tuiles. À chaque extrémité, une grosse tour ronde couverte d'ardoises. Prolongeant la tour ouest, une écurie portant les armes de la maison de Mandragore. Elle est aujourd'hui désaffectée et fait face à l'abreuvoir. L'ensemble est ceinturé de larges douves, prolongées de deux pièces d'eau et précédé d'une première cour, grande de plus d'un hectare et plantée d'une roseraie à l'instigation d'Hubert-Félix de Rivaille en 1882. Voir le diaporama (12 photos).

J'ouvris les yeux sur la photo noir et blanc du salon de Sacha Guitry. L'écran s'était mis en veille. Combien de temps m'étais-je endormi ? Dans mon esprit flottaient encore les images du diaporama : un gigantesque bâtiment aux murs blancs et toit de tuiles, comme en suspension au-dessus de l'eau, puis une tour ronde et massive bordée d'herbe verte, une roseraie de la taille d'un parc, des corolles multicolores baignées de soleil. À l'intérieur, les murs tapissés de tissu rouge étaient recouverts de tableaux dans des cadres de bois doré, il y avait aussi des lustres de cristal, des tapis, des fauteuils et des banquettes Louis XV.

Cinq heures et douze minutes, en haut à droite de l'écran. Un petit vent me souffletait le visage, j'avais entrouvert la fenêtre pour avoir un peu d'air. Le calme du matin n'était perturbé que par quelques chants d'oiseaux que je ne pouvais voir. J'ignorais qu'ils fussent si nombreux en ville et, dans la lumière matinale, le silence et les pépiements de ces oiseaux invisibles, je ressentais une étrange harmonie. Afin de mieux goûter encore cet état de paix, je décidai de faire quelques pas sur le boulevard.

Mes pas m'avaient porté jusqu'aux grilles du parc Monceau et je le longeais en remontant vers le carrefour de Courcelles. Sur le trottoir d'en face, un homme âgé promenait un basset artésien. Je trouvais que c'était une heure bien matinale pour une promenade. Peut-être le vieil homme était insomniaque et son chien l'était devenu lui aussi, par osmose. Je repensai au chien Arthur et à son successeur, à l'affaire des gommes. Avec le plus grand calme mon esprit enchaînait des petits fragments du passé. Je revis les amphithéâtres de l'université de droit, ils étaient déserts. Désert et silencieux aussi, mon bureau rue de la Grange-Batelière. J'y discernais le voyant rouge d'un fax qui clignotait. Pas après pas, toutes ces images s'imposaient à moi, ni vraiment mouvantes, ni vraiment fixes ; des petits bouts de super-8, collés les uns aux autres dans un ordre parfaitement aléatoire.

Curieusement dans aucune de ces images je ne me voyais. Ni moi, ni Charlotte, ni mes collaborateurs, ni mes clients, ni la foule de la salle des ventes, ni même de simples passants qui auraient traversé les photogrammes. Aucune présence humaine, comme après un immense exode, une guerre nucléaire.

Je pris un café à l'extérieur d'un bistrot du boulevard de Courcelles. J'étais le seul client et le garçon disposait les chaises et les tables de la terrasse sans me prêter la moindre attention. De temps à autre une voiture passait, je remarquai que le bruit de ses roues sur les pavés était très différent dans le silence du matin. Quelque chose d'une cascade. Puis plus rien. Le boulevard de Courcelles avait été déserté lui aussi, il n'y avait guère plus que cinq ou six habitants pour tout l'arrondissement. Le garçon de café, moi, la femme derrière le comptoir, l'homme dans la voiture qui déjà s'éloignait vers la place des Ternes… C'était beaucoup mieux ainsi. Il restait l'essentiel, le superflu de la vie avait été éliminé durant la nuit, comme par magie.

« Fin du monde – début du monde », ces deux propositions me trottaient dans la tête et je ne voyais pas laquelle s'appliquait le mieux à cette matinée.

Sans le savoir, je m'effaçais déjà.

*
* *

J'ouvris la porte de l'appartement sans faire de bruit et la refermai avec précaution. Je marchai sur le parquet du salon en évitant de faire couiner les lattes. Pourquoi faisais-je cela ? Quoi de plus normal que d'ouvrir sa porte et d'aller s'asseoir chez soi, sur son divan ? C'était même un acte plutôt rassurant. Pourtant je n'étais pas rassuré, j'avançais désormais dans mon propre domicile comme un voleur. Je ne voulais pas que Charlotte se réveille, je ne voulais pas avoir à m'expliquer. J'emmenai le portrait dans mon bureau et je le posai à plat contre le sol. D'un placard, je sortis un large rouleau de papier bulle – cadeau du service emballage de Drouot – et je recouvris le tableau avant d'en scotcher les bords avec soin. Dans le parking, quelques minutes plus tard, je glissai le paquet contre le dos des sièges avant de ma Jaguar. Je refermai les portes et m'installai au volant. Je voulais savoir. Il me fallait remonter à la source, je percerais l'énigme sur place, j'en étais sûr.

En sortant de Paris, la radio commuta sur les premières notes de *Melody Nelson*. Des accords de basse qui éclatent comme des bulles de savon, puis la voix du collectionneur de la rue de Verneuil, pure et hypnotique qui commence à égrener l'étrange poème : « Les ailes de la Rolls effleuraient les pylônes… »

Je ne conduisais pas une Rolls et aucun pylône ne défilait devant moi… pourtant, j'avais la sensation d'effleurer mon existence une dernière fois. À cent quatre-vingt kilomètres heure, les quelques microns qui séparaient la gomme de mes pneus du bitume m'élevaient au-dessus de la route tiède qu'avait été ma vie. Je décollais.

La fumée de ma Benson dorée monte en volutes dans la lumière des cierges. La chaleur fait maintenant perler quelques gouttes de sueur sur mon front et je songe qu'il faudrait que j'installe un minibar dans le hangar afin d'y conserver des glaçons pour mon whisky. Si l'été vire à la canicule, il ne me sera bientôt plus possible de rendre visite à mes collections, sans compter le risque d'incendie. Je me lève et m'approche d'un objet pour lequel je n'ai toujours pas trouvé de place satisfaisante dans mon cabinet de curiosités improvisé. Il s'agit d'une cave à liqueurs en bois de rose. Au centre de sa fine marqueterie, juste au-dessus de l'entrée de serrure, il y a un petit cartouche de cuivre sur lequel on peut lire : « *Lord Byron, Venezia* ».

Mon regard se pose sur un lourd manteau-cape noir qui pend désormais à un cintre et je souris en avalant la dernière gorgée de mon whisky.

— « Un jour, tu seras grand, et tu porteras mon vieux manteau. Je sais qu'avec toi, mon cher neveu, il me survivra dans la cité des épaves. Bonne chine !

Ta vieille tante. Edgar. »

Le notaire avait prononcé cela en haussant deux sourcils perplexes. Mes parents s'étaient étranglés ; moi, j'avais souri en coin. J'avais treize ans. L'oncle Edgar, dont nous étions sans nouvelles depuis plusieurs années, venait de mourir et me léguait tout ce qui lui restait : son manteau.

Un samedi de décembre, ayant atteint la taille d'un mètre quatre-vingt-quatre, je sortis de la naphtaline le manteau-cape de mon oncle et m'en couvris les épaules. Il y avait beaucoup de vent ce matin-là, et la cape noire claquait dans le labyrinthe du marché aux puces, cette « cité des épaves » qu'elle n'avait pas parcourue depuis longtemps. J'avais dix-neuf ans et 600 francs en liquide dans mon portefeuille. Après une longue négociation, je repartais des allées de Vernaison avec en poche deux baisers de paix du XVIe siècle, ces petites plaques de bronze en forme de fer à repasser qu'embrassaient les fidèles lors de la communion. Une heure plus tard, je les revendis dans un café, à un marchand, pour dix fois mon prix d'achat. Avec l'argent j'achetais un objet qui m'avait attiré ce même matin, mais qui était au-dessus de mes moyens : une cave à liqueurs en bois de rose. Dans son écusson de cuivre finement ciselé, on pouvait lire : « *Lord Byron, Venezia* ».

Le poète aventurier, lors de ses séjours véni-
tiens, avait pour excentricité de plonger du Lido
et de remonter la lagune à la brasse jusqu'au
palais de sa maîtresse. Sortant ruisselant de
l'eau, il s'allongeait nonchalamment sur les cana-
pés de tissu Fortuny, ouvrait sa cave à liqueur
et se servait un cognac. Il devait pencher la tête
en arrière et ses yeux alors se perdaient dans les
fresques du *settecento* vénitien. Enfin il embras-
sait la belle dans un baiser d'alcool mêlé à l'eau
salée de la lagune.

« ... gardent en eux la mémoire de ceux qui
les ont possédés. »

Je m'étais le soir même servi un verre de
cognac dans les verres de Byron, j'avais levé les
yeux vers le plafond blanc de ma chambre d'étudiant. Aucune lagune, aucun plafond de nuages,
aucune maîtresse n'égayaient ma vie morne
d'étudiant en droit. Mais un jour, le plafond se
remplirait de nuages et de nymphes, et une fille
douce m'offrirait ses seins. J'en étais sûr.

J'approche ma main de l'étoffe noire du
manteau, elle aussi est brûlante. Je songe qu'il
faudrait que j'apporte un thermomètre afin de
mesurer exactement la température du hangar
en pleine après-midi. Je l'évalue à quarante-
cinq degrés, peut-être même cinquante. Il y a
plus d'un an que je suis ici, à Rivaille, sur les
terres de Mandragore.

Il y a plus d'un an que je suis le comte de
Mandragore.

II

L'absent

Après trois heures quarante de route, j'avais arrêté ma Jaguar sur la petite place du village. Rivaille. Il y avait peu de monde en ce début de matinée, une vieille 4L, une Clio et une fourgonnette. Je sortis de la voiture et respirai profondément l'air frais. C'est lorsqu'on se rend en province que l'on s'aperçoit combien l'atmosphère de Paris est polluée, viciée et par-dessus tout abrutissante. Je tournai la tête de droite à gauche, j'étirai mes bras puis je refermai la portière en avisant le premier café venu : La Jument verte, Loto-Tabac. J'allai y prendre un double café et quelques croissants avant de demander la direction du château.

Je poussai la porte du bistrot. Quelques habitués du petit blanc du matin ou du demi de dix heures tournèrent les yeux vers moi. Tandis que je m'accoudais au rebord de métal blanc du comptoir, le patron, un gros homme chauve au teint brique, se releva de dessous la tireuse à bière. Il s'arrêta dans son mouvement. Son visage de poupon alcoolique se figea. À mon tour je posai mes yeux sur les autres clients, eux aussi me regardaient fixement. Ils avaient même cessé de consommer.

— Monsieur le comte… murmura le patron d'une voix blanche, en s'approchant de moi. On ne pensait jamais vous revoir.

Il me tendit une main hésitante. Comme je ne savais trop qu'en faire, je la serrai, ce qui eut pour effet de le faire crier :

— Martine, viens voir !

Martine, une petite blonde boulotte d'une cinquantaine d'années, apparut dans l'entre-bâillement d'une porte qui devait donner sur la cuisine. Un sourire radieux, quasi extatique, se dessina aussitôt sur son visage.

— Monsieur le comte, murmura-t-elle à son tour, en laissant choir son torchon.

Je posai à nouveau les yeux sur les autres clients. L'un d'entre eux esquissa le geste de soulever son demi à mon intention. Geste qui fut repris par tout le comptoir dans un ordre synchronisé qui n'était pas sans rappeler la célèbre ola des stades de foot. La situation était inattendue, insensée ; je n'avais pas la force de la rectifier. C'était en spectateur que j'assistais à ce qui m'arrivait. Un spectateur impuissant, terrifié, mais fasciné.

*
* *

— Tournée !… Tournée générale ! s'excitait maintenant le patron. C'est l'événement le plus important depuis que le petit Marcellin a gagné au Loto Foot ! Va chercher le 64, cria-t-il à sa femme. Le 64, nom de Dieu ! reprit-il en s'ébrouant comme un chien.

La patronne disparut derrière le bar pour revenir l'instant d'après avec un clos Mandragore, 1964.

— Tire-bouchon, demanda le patron à la manière d'un chirurgien exigeant son scalpel.

La femme ouvrit un tiroir dans lequel se trouvaient de nombreux modèles. La collection de tire-bouchons était encore très à la mode il y a quelques années, le patron devait être amateur.

— Le Presto, dit-il en désignant l'un d'entre eux.

Sa femme lui tendit un beau tire-bouchon à levier qu'il manipula en habitué, faisant coulisser le bouchon dans un élégant claquement de liège.

— Monsieur le comte, votre devise, c'est le moment ! glapit la patronne.

Pris à mon tour par le vent de panique qu'avait soulevé mon arrivée dans le café, je levai mon verre et criai :

— Nul autre que moi !

— Nul autre que vous ! M'sieur le comte ! reprirent en cœur les habitués.

Le Chassagne-Montrachet se répandait le long de mon palais comme une ambroisie veloutée, augmentant sensiblement la chaleur et la vitesse du sang qui coulait dans mes veines. Aimé-Charles de Rivaille, comte de Mandragore, voilà qui j'étais aux yeux de ces gens. Je les laissai parler, me contentant de hocher parfois la tête. En recoupant leurs propos, une histoire se dessinait : quatre ans auparavant, Aimé-Charles était parti à Paris rencontrer un distributeur vinicole et n'était jamais arrivé. On ne l'avait plus revu, ni lui, ni sa voiture. Mélaine de Rivaille, sa femme, avait pris en main le domaine et le château. Elle ne s'était pas remariée.

— Alors, vous étiez où ? me demanda le patron en s'accoudant plus près de moi.

Je me tournai vers la dizaine de personnes qui s'étaient approchées de nous, la patronne remplissait leurs verres. Je ne pouvais pas les décevoir, d'ailleurs me croiraient-ils si je leur disais la vérité ? Que je m'appelais Pierre-François Chaumont, que j'arrivais de Paris à la suite d'un achat à la salle Drouot... Non, ils ne me croiraient pas. J'étais allé trop loin.

Après tout, j'étais avocat, un métier de parole, et ce ne serait pas la première fois que je me forcerais à raconter des sornettes. Pourtant, jamais jusqu'à présent je ne l'avais fait pour mon propre compte. Jamais je n'avais ainsi travaillé sans filet. Cela ressemblait à du saut à l'élastique ; sans élastique. Je décidai de sauter, l'occasion était trop belle, c'était plus excitant encore que les enchères en salle des ventes. Jamais je n'avais été parcouru par un tel frisson. J'allais tenter quelque chose sur ces gens. Ils mordraient à l'hameçon.

— Dédé, intervint sa femme, en lui donnant un discret coup de coude, peut-être que le comte, il veut pas en parler, c'est personnel ces choses-là.

— J'ai eu un accident, dis-je, sur le ton de celui qui ne demande qu'à soulager son cœur.

— Je le savais, répondit immédiatement le patron.

Un accident. Un accident de voiture, voilà, c'était cela, un accident de voiture, du moins c'est ce que l'on m'avait raconté car je ne me souvenais de rien. Je m'étais réveillé sans papiers et sans mémoire dans une maison de repos de la banlieue parisienne. J'avais été soigné là-bas. On s'était très bien occupé de moi, et depuis quelques semaines, la mémoire me revenait par bribes grâce aux électrochocs. Je n'étais pas tout à fait guéri, d'ailleurs ces visages qui m'entouraient, bien sûr je les reconnaissais, seulement j'étais bien incapable de leur attribuer un nom. Tout cela reviendrait mais prendrait du temps. C'était sur ma demande que mon médecin avait accepté que je retourne seul à Mandragore me confronter à la réalité. Il m'avait prêté sa voiture, c'était à lui ce beau coupé Jaguar garé sur le parking.

— L'amnésie ! hurla le patron, on a vu un reportage à la télé il n'y a pas une semaine !

Comment pouvais-je abuser ces gens aussi facilement ?

— Et au château, qu'est-ce qu'ils ont dit ? me demanda le client au demi.

— Au château, murmurai-je, mais je ne suis pas encore allé au château...

La patronne plaqua sa main contre sa bouche, l'air horrifié.

— Mon Dieu, madame Mélaine ne sait pas encore ! s'étouffa-t-elle.

— C'est nous qu'on a la primeur, s'écria le gros chauve.

La question des papiers d'identité se régla en quelques secondes :

— Et vos papiers, vous ne les aviez pas sur vous ?

— Il a été agressé par des pillards de la route ! Ça vole tout, cette engeance, même les papiers d'identité.

— Ça vaut cher à ce qu'il paraît les papiers.

— Je croyais qu'ils étaient infalsifiables.

— Ce sont les numéros de série qui sont importants. J'ai vu un reportage chez Jean-Pierre Pernaut.

Le nom du journaliste coupa court à toute discussion.

— En tout cas, vous avez bonne mine, m'affirma la patronne. Vous n'avez pas changé, les cheveux si, peut-être un peu plus courts.

— Ce sont les coiffeurs des hôpitaux, ils travaillent à la tondeuse, maugréa un client, avant de me demander d'un petit geste du menton de lui confirmer cela.

— Oui, oui, c'est assez militaire, répondis-je, alors que je dépensais 160 euros par mois dans une grande adresse de l'avenue Georges V.

Il est facile d'abuser ceux qui veulent croire :
il faut leur dire ce qu'ils veulent entendre.
C'est tout, rien de plus. Les phrases sont déjà
en eux, il suffit de les prononcer telle une formule magique pour que l'effet opère. La nature
m'avait fait le sosie de cet homme disparu, et
personne ne s'avisait de mettre en doute mes
paroles. Bien au contraire, ils les avaient bues
mes paroles, avec plus de délectation encore que
le Montrachet 64, et maintenant que je ressortais
du café, tous me suivaient avec le regard de ceux
qui partagent un lourd secret et en sont fiers.

« C'est nous qu'on a la primeur ! »

La phrase me revenait en boucle, lointaine et entêtante, comme un sample musical.

Immobile depuis plusieurs minutes, je posai le front contre le volant de ma voiture tout en fermant les yeux. La solitude et le silence de ce chemin de terre pouvaient-ils m'aider à prendre une décision ? Je venais de vivre les minutes les plus étranges de ma vie et j'en étais presque à me demander si tout cela avait bien eu lieu. Oui, cela avait bien eu lieu. Durant le trajet, j'avais imaginé à peu près toutes les réponses que je pourrais trouver sur place aux questions que je me posais sur mon tableau. Toutes, mais pas celle qui m'avait été faite ; d'ailleurs je n'avais pas posé la moindre question.

Dans mon tissu de mensonges, il y avait tout de même un élément de vrai. Et si j'avais pu broder aussi facilement, c'est que je m'étais appuyé sur cette vérité. La maison de repos n'était pas sortie de mon imagination. Elle appartenait au docteur Baretti, Martin Baretti. Un médecin très liant, mais avec ce je-ne-sais-quoi d'inquiétant qui laisse soupçonner une vie plus compliquée qu'elle n'en a l'air. Il avait eu recours à mes services quelques mois plus tôt à propos d'un nouveau système d'électrochocs dont il avait déposé le brevet.

Si ma passion des objets créait une sympathie immédiate entre collectionneurs, mon métier aussi amenait parfois aux confidences. Les avocats, les banquiers, les notaires sont les dépositaires de la vie des gens, et souvent ceux-ci aiment les prendre pour confesseurs. Leur fonction laisse présager le sceau du secret et ils effraient moins que les hommes d'Église, qui de toute façon ne reçoivent plus aucune confidence depuis un demi-siècle.

Un collectionneur d'estampes m'avait ainsi un jour avoué, devant la gravure d'une jeune femme pendue, être un adepte du bondage, cette étrange perversion qui consiste à ligoter les membres de sa compagne jusqu'à ce que celle-ci se trouve au bord de l'évanouissement. Il m'avait même sorti de son portefeuille des polaroïds de ses performances. Le docteur Baretti, lui, menait deux vies de front. Celle d'homme marié et de père de famille, et l'autre, avec son jeune amant, installé par ses soins dans un charmant pied-à-terre du Marais. Au cours d'une démonstration de l'électrochoc dans sa clinique, j'avais compris que le jeune infirmier blond prénommé Jean-Stéphane et le docteur Baretti devaient être très proches.

Le docteur Baretti avait souri en voyant mon regard sur son compagnon.

— Oui maître, je suis parfaitement homosexuel, m'avait-il précisé à notre retour dans son bureau.

Je m'étais demandé comment l'on pouvait être « parfaitement » homosexuel lorsqu'on avait une femme et deux filles, avant de me rappeler que le médecin avait prononcé l'adverbe une bonne demi-douzaine de fois depuis notre rencontre. Pourquoi diable cet homme m'avait-il dévoilé sa vie ? Peut-être pour qu'un jour j'en fasse usage.

*
* *

J'avais honte de ma conduite. Honte de ce que j'étais devenu : un imposteur qui se jouait de la crédulité des honnêtes gens. En définitive, je ne valais pas mieux que ces prédicateurs de sectes qui abusent les cerveaux faibles et les âmes perdues ; j'avais toujours eu ces personnes-là en horreur et maintenant, j'agissais comme eux. Peut-être même étais-je pire qu'eux. Moi, je n'avais rien à vendre, aucune croyance, aucun départ pour une planète inconnue. À moins que ce ne soit mon propre départ que je négociais déjà, inconsciemment, devant ces auditeurs captivés.

Toutefois, si mes mensonges m'effrayaient, je me tenais également un autre discours : je n'étais pas parti par hasard, je n'étais pas là par hasard, je ne ressemblais pas à cet autre par hasard. Rien de tout ce qui s'était produit depuis ma découverte du portrait n'était dû au hasard. Je suivais mon destin. Tout ce que je pourrais tenter pour détromper ces gens allait contre ce destin. Une porte s'ouvrait devant moi, il me restait à la franchir ou à revenir sur mes pas.

Je tournai la tête vers le pastel. Derrière le papier bulle j'aperçus le visage de l'homme en perruque poudrée. Le portrait m'offrait une chance unique. Être un autre. C'était une proposition insensée, jamais une telle occasion ne se présenterait de nouveau. La sonnerie de mon portable interrompit le cours de mes pensées. « Charlotte », s'affichait sur l'écran. Je coupai l'alimentation de l'appareil pour qu'il se taise. Peut-être à jamais.

Au début du chemin de terre, fixé sur le tronc d'un arbre plusieurs fois centenaire, j'avais pu lire sur un panneau : « Ici commencent les terres de Mandragore. » Cette indication au pochoir, en rouge sur fond blanc, m'avait provoqué un léger coup dans la poitrine.

Autour de moi, les vignes s'étendaient à perte de vue sur les collines puis se perdaient dans les brumes de l'été. Au pied de chaque cep, je remarquai un curieux cylindre de métal rouillé percé de trous. On aurait dit une sorte de lampe de mineur plantée dans le sol à la verticale, tout près des racines. Il devait s'agir d'un système pour garder les pieds à température durant l'hiver. Je ne pus m'empêcher de me demander qui en avait déposé le brevet. Cette trouvaille devait être rentable car il y en avait autant que de pieds.

À part quelques corbeaux qui s'envolaient au loin, il n'y avait que moi dans le paysage. Oui, moi, Pierre-François Chaumont, l'avocat. Et tandis que je me répétais mon prénom et mon nom, je pensais que l'on agit toujours de la même façon lorsqu'on doit prendre les grandes décisions qui jalonnent une vie : durant les quelques minutes qui précèdent la décision, on est sûr de faire l'inverse. On se persuade une dernière fois qu'il y a un autre chemin. On veut le voir plus simple et plus rassurant ce chemin. Comme une ultime alternative. Oui, quelques secondes encore avant de basculer dans l'inévitable choix, on se berce d'illusions. On ne peut pas s'en empêcher. « Si je vais au château, c'est pour solliciter un entretien avec Mélaine de Rivaille et tout lui raconter, me persuadai-je. Je ne suis pas Aimé-Charles, je suis Pierre-François. Pierre-François Chaumont, je suis avocat à Paris, je suis spécialisé dans les procès d'industrie, les brevets, toutes sortes de brevets, fibres optiques, puces évolutives, roulements à billes, Durit. »

*
* *

Le bâtiment apparut devant moi au détour d'un buisson. Immense avec ses hauts murs de pierres claires qui se reflétaient dans l'eau des douves. Je savais parfaitement où j'étais. Ce château, je l'avais vu le matin même sur Internet. Pourtant, prises d'hélicoptère, les photos ne rendaient en rien la puissance de l'édifice vers lequel je m'avançais.

Le pont en bois n'émettait aucun bruit, je m'attendais à l'entendre grincer sous mon poids, il n'en était rien. Sur l'eau lourde et verte, le vent imprimait de légers frémissements, et c'est à nouveau une image immobile de mon passé qui me revint à l'esprit : celle de la peau de lait tiède et fripée dont Céline faisait les gâteaux de mon enfance. Je rentrai dans la première cour. Un groupe d'une vingtaine de personnes stationnait à l'angle d'une des tours et parlait à mi-voix en dépliant cartes et brochures.

— *Here he is !* cria une femme blonde en me désignant.

Je lui souris, mais aussitôt j'écartai les mains en signe d'impuissance. Non, je n'étais pas leur guide.

— *Want some ?* me demanda un homme en short jaune.

Il me prenait pour un visiteur et me tendait un paquet de chamallows blancs. *The real one from USA* s'étalait sur le plastique en lettres rouges et bleues. Il avait dû l'apporter de son État. D'ailleurs d'où était-il, cet homme ?

— *California*, me répondit-il.

Il me précisa ensuite, tandis que je mâchonnais le gros chamallow blanc, qu'il estimait toujours autant la France, que les politiques pouvaient s'étriper sur les problèmes du monde, lui, James Fridman, n'en avait cure. Il aimait la France et les vins de Bourgogne. Alors la guerre, les combines, l'ONU et les journalistes :

— *Fuck them all !* me résuma-t-il avec un art consommé de la synthèse.

— *Fuck them all*, acquiesçai-je à mon tour, tout en déglutissant la pâte aérienne gonflée de sucre.

Un jeune homme aux cheveux blonds en brosse s'avança vers le groupe d'un pas pressé. Il portait un grand almanach à la main. Il se présenta et demanda à l'assistance de bien vouloir le pardonner pour le retard. Une fois en français, une autre en anglais. Mister Fridman lui tapa amicalement sur l'épaule et lui tendit sa pochette de chamallows que le jeune homme blond refusa d'un mouvement de tête. Il était temps pour moi de parler.

— Je vous prie de m'excuser, dis-je. Je souhaiterais voir Mélaine de Rivaille.

— La comtesse ne participe pas aux visites, me répondit le jeune homme d'un air contrarié.

— Je ne fais pas partie de la visite. Je viens la voir, elle, insistai-je.

Décontenancé, le jeune homme marmonna une phrase où il était question d'intendance et d'un « monsieur Henri » auquel il faudrait que je me présente, mais qui était occupé à faire l'argenterie. Derrière les vitres de ce qui devait être le salon, mon regard croisa celui d'un homme âgé qui portait un service d'argenterie sur un plateau. Il s'immobilisa en me voyant, le plateau disparut de ses mains pour se fracasser sur le dallage. Quelques secondes plus tard, le vieil homme au visage parcheminé arrivait face à moi, essoufflé.

— Monsieur... Oh, monsieur, murmura-t-il.

Il ne me laissa pas le temps de trouver mes mots et ajouta d'une voix douce :

— Madame est dans la roseraie.

Je suivis son regard, mes yeux tombèrent sur le panneau du circuit touristique qui indiquait l'emplacement de la roseraie avec une flèche mauve.

Un hectare de roses. Toutes disposées le long de petites allées dallées de pierre blanche. Un large panneau, usé par la pluie, retraçait l'historique de cette roseraie exceptionnelle. Je le parcourus rapidement pour ne retenir que quelques chiffres et quelques noms : cent quarante variétés de roses, plus de trois cents rosiers. Chaque rosier était répertorié. Le nom du groupe, celui de l'obtenteur et la date d'édition. La liste des roses défilait sous mes yeux : Triomphe de France, centfeuilles, Cariou, 1823. Duke of Bourgogne, hybride remontant, Elliot, 1967. Pierre de Ronsard, hybride moderne, Meilland, 1987. Lady Mélaine, centfeuilles, Silver, cadeau d'Arthur McEllie, 1997 – *premier prix Belles d'Europe 98 ; sacré rose de France 99 ; centfeuilles du millénaire en 2000.*

Où était Lady Mélaine, parmi ces centaines de fleurs ? Où était la rose ? Où était la femme ? Je ne voyais aucune silhouette entre les hautes tiges et les arbustes, le vieux domestique avait dû se tromper. Je passai en revue les étiquettes : Gloire des comtes, Unique panachée, Sœur de neige, Jeanne de France, Impératrice mauve... D'allée en allée, les noms et les corolles finissaient par me donner le vertige.

Lady Mélaine. Centfeuilles, d'après sa description détaillée sur le petit panneau planté près des racines. Les concours qu'elle avait gagnés étaient, là aussi, mentionnés en caractères italiques. C'était un buisson qui devait comporter une quarantaine de roses aux pétales charnus, comme froissés par une fraîche nuit de sommeil. Les roses possédaient une teinte orangée très pâle. Les plus larges pétales finissaient en un dégradé presque blanc tandis que le cœur demeurait plus coloré. J'avançai mes lèvres et mon nez, une odeur douce et poivrée montait dans la chaleur de la matinée. Je fermai les yeux pour les rouvrir l'instant d'après sur une silhouette qui venait de bouger à quelques allées de là.

Entre les fleurs, c'était bien la silhouette d'une femme qui venait de se déplacer. Je pouvais distinguer une robe claire, couleur vert d'eau délavé. J'avançai jusqu'au bout de la petite allée de pierre. Oui, c'était bien une robe, à bretelles, de celles qui se boutonnent sur le devant.

Elle était jambes nues et portait des ballerines blanches. Penchée vers un arbuste, elle tenait un panier en osier dans lequel j'aperçus les roses fanées qu'elle venait de couper. Ses cheveux tombaient en longues mèches devant son visage. Ils étaient de cette couleur blond cendré qui tire vers le roux. Blond vénitien l'appelaient les hommes du XVIIIe siècle, faisant référence aux teintures que posaient sur leurs chevelures les filles de la Sérénissime. Pourtant, cette chevelure-là n'était pas teinte. La rose qui portait son nom possédait un peu cette couleur, c'était pour cela qu'un admirateur américain l'avait offerte à la maîtresse de Mandragore.

Elle releva la tête vers le bosquet et ramena d'un geste rapide ses cheveux en arrière. Mélaine de Rivaille. Elle avait le teint clair, presque blanc, à peine quelques taches de rousseur sur son nez. Même à cette distance je distinguais la clarté de ses yeux et surtout sa bouche, d'un rouge profond qui ne devait sûrement rien au bâton à lèvres. La finesse de ses traits était prolongée par la ligne gracile de son cou jusqu'à la naissance de ses seins. Sous le coton à peine bombé, je devinais qu'elle ne portait pas de soutien-gorge. Elle se pencha à nouveau vers l'arbuste pour en examiner une fleur, le décolleté s'ouvrit sur sa petite poitrine. Quel âge avait-elle, Mélaine de Rivaille ? Trente-cinq, peut-être trente-sept ans.

Elle retira sa ballerine droite, en vérifia la semelle, puis retira la gauche et les posa dans le panier avec les têtes de fleurs. Maintenant elle avançait vers un autre arbuste, pieds nus sur la pierre chaude. La robe de coton vert d'eau épousait le mouvement de ses cuisses. Je ne pouvais plus détacher mes yeux de ses jambes longues et nues, de ses pieds blancs qui avançaient sur les pierres. Elle s'immobilisa et je levai la tête vers son visage.

Elle me regardait. Tout son être, qui n'était que mouvement l'instant d'avant, était désormais immobile. Une statue. Sa bouche s'entrouvrit imperceptiblement, ses yeux ne lâchaient pas les miens. Vert clair, semblable à la robe.

Je ne rêvais pas, c'était bien un gémissement bref qui venait de sortir de sa poitrine, et voilà qu'il recommençait, plus fort, comme irrépressible, provoqué par le cœur qui, soudainement, battait trop vite et l'oxygène qui ne suivait pas le débit du sang. À mon tour une vague me submergeait. Mon cœur s'emballait pour cette femme aux yeux affolés qui ne pouvait plus parler, seulement pousser ces brefs gémissements.

Elle lâcha le panier qui rebondit sur la pierre, les têtes de roses se répandirent sur les dalles.

Elle arriva contre ma poitrine avec une violence insoupçonnée. Elle me regardait, sans qu'aucun son ne sorte de sa bouche. Nous étions muets de stupeur. Elle de me revoir, moi de la découvrir.

Enfin, les mots revinrent à ses lèvres :

— C'est toi, c'est toi, murmura-t-elle, avant de se serrer contre moi, si fort que j'en perdis l'équilibre.

Nous tombâmes sur la pierre brûlante. Elle me fixait de son regard clair, les yeux brillants de larmes. À nouveau ces mots entre deux respirations :

— C'est toi, c'est toi.

Les bretelles s'étaient détachées, elle n'avait pas conscience qu'elle était seins nus dans le soleil. Ses cheveux lui tombaient sur le visage et je passai mes mains de chaque côté sur ses tempes. Je sentais ses hanches contre moi, à peine couvertes de la robe de coton, j'apercevais ses chevilles et ses pieds nus sur le dallage. Je fermai les yeux, je ne sentais plus que son souffle et les soubresauts de son corps. Elle approcha son visage du mien et pressa sa bouche contre la mienne. Ni elle ni moi ne pouvions aller au bout de ce baiser, ni même le commencer. Nous étions soudés l'un à l'autre, comme en réanimation. L'air me manqua, je me détachai de ses lèvres.

— C'est moi, c'est moi, c'est moi, c'est moi !... dis-je enfin, en reprenant mon souffle.

Je ne pouvais plus m'arrêter.

Mes yeux s'habituaient à l'obscurité. Le jour filtrait à travers les lourds rideaux de velours et je discernais une table de nuit, un téléphone, une commode, un globe de mariée, des tableaux aux murs. J'étais sur un lit, encore habillé, ma veste était posée sur un fauteuil. M'étais-je évanoui ? C'était bien possible. Je m'apprêtais à me lever quand une main brûlante caressa ma poitrine. Je tournai la tête, Mélaine était allongée à mes côtés, elle me regardait. Elle avait rajusté les bretelles de sa robe. Aussitôt le choc de son corps contre le mien me revint en mémoire, ses yeux implorants, ces spasmes qui sortaient de sa bouche. Je m'étais évanoui, maintenant j'en étais sûr.

Je la regardais, cette inconnue que j'avais tenue dans mes bras, qui désormais ne quittait pas mes yeux et respirait paisiblement à mes côtés, allongée sur la couverture. Jamais une femme ne m'avait paru aussi belle, aussi désirable, aussi proche de moi. Toutes les étapes de la séduction avaient été brûlées, carbonisées en quelques secondes dans une formidable accélération.

Nous restâmes longtemps ainsi, immobiles. Sans parler. « Je t'aime », avais-je envie de prononcer dans le silence de la chambre. Je t'aime. Depuis combien de temps n'avais-je pas prononcé ces mots ? D'ailleurs, les avais-je jamais prononcés ? Je finissais par en douter.

— Je vais t'expliquer, dis-je à voix basse.

Elle hocha la tête gravement. Je m'apprêtais à commencer mon explication à base d'amnésie, mais elle posa un doigt sur ma bouche, sa respiration se fit plus vive, elle retira sa robe vert d'eau et fit glisser sa culotte blanche. Je la suivais des yeux, à la fois passionné et terrifié. Elle se glissa sur moi et entreprit de défaire les boutons de ma chemise. Je l'aidai et me déshabillai à mon tour.

Nous étions maintenant tous les deux nus dans la pénombre, légèrement éclairés par le soleil derrière les rideaux de velours. Je la pris dans mes bras, elle remonta le long de mon corps, posa ses mains sur mes épaules. Ses seins étaient à la hauteur de mon visage, ses cheveux lui tombaient sur la figure, je les écartai en les lissant de mes doigts.

— Je ne t'ai pas trompé, murmura-t-elle.

À mon tour je la regardai gravement, et les mots sortirent de ma bouche, sans effort :

— Je t'aime, je t'aimerai toujours.

Nous nous embrassâmes passionnément, avant que ses lèvres ne quittent les miennes et descendent le long de mon cou. J'ouvris les yeux sur le plafond de la chambre. Il était blanc, mais j'y voyais les plus beaux nuages qui aient jamais flotté dans l'atmosphère, et loin, très loin sur l'un d'eux, une silhouette qui s'éloignait de dos dans un manteau-cape noir, jusqu'à n'être plus qu'un point dans l'infini pour enfin se dissoudre. Ma vie d'avant n'existait plus. Rien n'avait jamais existé que Mélaine de Rivaille et Mandragore.

*
* *

— On t'a cherché partout, partout… Mais pourquoi on ne t'a pas trouvé dans cette clinique ?

— Je ne sais pas, murmurai-je.

Et nous retombâmes dans le silence. Mélaine alors se serra contre moi et nous restâmes enlacés durant de longues minutes.

Nous avions fait l'amour et je n'avais plus eu la force de raconter mon histoire d'amnésie. Il m'avait fallu plusieurs heures pour retrouver le courage de mentir. Au fond de moi, j'avais envie de lui dire la vérité, qu'elle me prenait pour son mari disparu et que moi je voulais bien le remplacer. Vivre à Mandragore avec elle et l'aimer. Ne plus faire que cela, le lui dire matin et soir, lui faire l'amour autant de fois qu'elle le souhaiterait. Jamais je n'avais fait l'amour comme ça. Jamais je n'avais aimé. Pourtant j'étais obligé de mentir, de servir cette histoire d'amnésie, de clinique et de docteur Baretti, ma seule carte réelle dans l'histoire.

— Je vais t'amener mon dossier. Je vais aller le récupérer à Paris, avais-je insisté pour me convaincre moi-même.

— Tu ne fumais pas avant, dit-elle doucement.

— Je n'ai pas fumé, me défendis-je, sentant aussitôt mon cœur s'accélérer dans ma poitrine.

— J'ai senti la cigarette sur tes vêtements, dit-elle dans un sourire.

La parenthèse magique où tout était possible était-elle déjà en train de se refermer ? Les questions allaient arriver, plus précises les unes que les autres. C'était sur les détails que je risquais de déraper, il me fallait sortir au plus vite de l'ivresse et me ressaisir, être sur le qui-vive. Je ne pouvais pas perdre la femme de ma vie, ou plutôt celle de ma nouvelle vie.

— Le docteur Baretti fume, je me suis mis à fumer avec lui. Il y a si peu d'activités en clinique... ajoutai-je d'une voix lasse.

— Donne-moi une cigarette, me dit-elle.

Aussitôt mes yeux tombèrent sur ma veste et ce qu'elle contenait : mon portefeuille, mes papiers d'identité, mes cartes bleue, grise, verte, vitale. Pierre-François Chaumont partout. Il n'y avait pas de paquet de cigarettes dans mes poches mais mon porte-cigarettes d'écaille avec son fixé sous verre de Venise. Je tentai le tout pour le tout, sortis l'objet et le tendis à Mélaine.

— C'est superbe, dit-elle. Ce n'est pas à toi, ajouta-t-elle aussitôt.

— Non, c'est au docteur Baretti.

— Comme la Jaguar, il t'en a prêté des trucs, ce médecin.

— Oui. Je suis son patient préféré.

Mélaine me regardait en plissant les yeux, allumant sa cigarette avec un sourire en coin.

— Il est homo ?

— Oui, murmurai-je stupéfait.

— Tu as toujours plu aux garçons, dit-elle en soufflant la fumée. Tu ne te souviens pas ?

— Non. Raconte-moi.

Elle prit un cendrier en cristal sur la commode et s'avança sur le lit. Je passai ma main contre sa joue et descendis le long de ses seins.

— Il faut que tu me racontes, dis-je. Je ne me souviens pas de tout.

Mélaine avait trente-sept ans et moi quarante-trois. Nous nous étions connus douze ans plus tôt, lors d'une conférence vinicole à Dijon. Mélaine Gaulthier était une jeune journaliste qui, après un article remarqué sur les promenades de François Mitterrand dans le Morvan, avait souhaité, pour le compte du *Figaro*, supplément d'été, faire un tour des vins de Bourgogne et raconter l'histoire de certains crus. Le clos Mandragore en faisait partie. Mélaine m'avait remarqué depuis le début de la conférence et moi je ne l'avais pas quittée des yeux. Lorsque j'étais monté sur la petite estrade, afin de promouvoir le vin de Mandragore, j'avais saisi cette occasion pour l'inviter à me rejoindre. J'avais prétendu qu'il fallait qu'une « bouche innocente » le goûte et j'avais choisi Mélaine dont j'ignorais même le prénom.

Elle m'avait avoué que le terme « bouche innocente » lui avait donné des frissons. Le soir même, de retour au château, nous avions exploré l'origine de ces frissons. Mon père, le comte de Mandragore, s'était alors exclamé que « la plus jolie mandragore venait de pousser dans le domaine ». Le lendemain matin, j'avais demandé à Mélaine de ne plus jamais me quitter et de m'épouser.

— Tout ce qui est ici est à toi, avais-je dit.

Elle m'avait demandé une semaine afin de retourner à Paris, d'abandonner son reportage pour *Le Figaro* et de rompre avec son compagnon. En fait, quatre jours lui avaient suffi.

Seule ombre au tableau de cet amour passionné, la plus belle des mandragores ne pouvait pas avoir d'enfants. Cette question avait obscurci plusieurs années de notre vie, jusqu'au soir où nous avions l'un et l'autre décidé d'accepter d'être les derniers des Rivaille-Mandragore. La lignée commencée au XIIe siècle s'éteindrait au XXIe siècle.

— Neuf siècles, c'est déjà pas si mal, avais-je conclu.

Ce presque millénaire faisait partie de notre quotidien. Souvent nous regardions nos ancêtres dans la galerie des portraits. Les premiers étaient de petites aquarelles sur parchemin pourvues d'enluminures, et il ne manquait que le nôtre à tous les deux. Nous avions décidé de le faire exécuter à l'huile par un peintre de la région afin de changer des portraits récents toujours photographiés par Harcourt.

— Il n'en manque pas un ? demandai-je, interrompant le récit de Mélaine.

— Oui... il en manque un, je vois que tu n'as pas oublié cela.

— Qui est-ce ?

Cette question qui me brûlait les lèvres depuis la salle huit de l'hôtel Drouot allait enfin trouver une réponse.

Louis-Auguste, comte de Mandragore, dit « l'absent », car il s'était absenté de sa propre vie. Ami de Louis XVI, ils partageaient ensemble la passion de la serrurerie. Durant la Terreur, Louis-Auguste fut arrêté à Paris et emprisonné plusieurs semaines. Il s'évada et après avoir assisté, terrifié, à l'exécution du souverain, il regagna, sans un sou, la province. Évitant la Bourgogne et Mandragore, il se réfugia dans un petit village d'Auvergne, où il exerça le métier de ferronnier-serrurier, abandonnant femme, enfants et château. Personne ne mit en doute ses qualités à manier la forge et tordre le fer. Prétendant que ses papiers d'état civil et ses diplômes avaient brûlé dans l'incendie des archives des compagnons, il prit pour nom celui de son ancien maître ferronnier : Chaumont. Et tandis que Mélaine me racontait l'histoire d'Auguste Chaumont, j'avais la gorge nouée et la tête me tournait.

Mon père avait un jour chargé un généalogiste d'effectuer des recherches sur les Chaumont. Celles-ci s'arrêtaient mystérieusement à la fin du XVIIIᵉ siècle, sur un compagnon serrurier domicilié en Auvergne : Auguste Chaumont.

Le treizième comte de Mandragore, mon aïeul.

Maintenant, je savais. Il ne me restait plus qu'à accomplir ce qu'avait déjà fait le premier des Chaumont : disparaître à mon tour. C'était de famille.

*
*   *

— J'ai faim, dit-elle en écrasant sa troisième cigarette. Et toi, tu as faim ?

— J'ai faim, répondis-je.

Mélaine se leva et enfila une robe de chambre vert d'eau, toujours cette couleur, celle de ses yeux.

— Il doit rester du veau à la cuisine, murmura-t-elle en nouant sa ceinture, je reviens.

Cette petite phrase me fit battre le cœur presque autant que de la tenir dans mes bras. Si nous pouvions échanger une phrase aussi anodine que celle-ci, alors oui, j'étais son mari, oui, j'avais toujours été ici. Oui, cette femme était ma femme. Il n'y avait pas de doute. J'avais envie de me lever, de descendre à la cuisine la prendre dans mes bras et lui dire qu'il était merveilleux qu'il reste du veau dans le frigidaire, que c'était le plus beau repas de mon existence : deux tranches de veau froid avec un peu de mayonnaise, mangées sur la nappe cirée de la cuisine de Mandragore. Mais je ne savais pas où se trouvait la cuisine. Si je sortais de la chambre, je serais bien incapable de retrouver Mélaine dans le château.

Puisque je me trouvais seul dans la chambre, il me fallait saisir cette occasion.

« Il faut que j'appelle le docteur Baretti, me dis-je. Maintenant. » Je me levai, plongeai ma main dans la poche de ma veste et rallumai mon portable. Vingt-deux messages s'inscrivirent sur l'écran, je fis défiler la liste des appels : Charlotte, Charlotte, Chevrier, Chevrier, Foscarini Team F1, Charlotte, Chevrier, Étude Tajan, Expert associés, Cabinet Vaudhier, Chevrier, Chevrier, Charlotte, Samuel Antiquités, Librairie Marchandeau, Orange votre service client, Charlotte, Librairie Héraldique, Charlotte, Chevrier, et enfin, deux fois le même numéro inconnu.

« Ceci est un message pour monsieur Pierre-François Chaumont. Je suis le lieutenant de police Masquatier, centrale du 17e arrondissement à Paris. Je prends contact avec vous, monsieur, suite à la déclaration commune de votre femme, Charlotte Chaumont, et de votre associé monsieur Alain Chevrier. Vous êtes injoignable pour ces personnes depuis la matinée... Ces personnes s'inquiètent à votre sujet, monsieur, je dois vous préciser qu'aucune procédure de recherche dans l'intérêt des familles n'est pour l'instant lancée vous concernant. Étant majeur, vous avez loisir d'aller et venir comme il vous semble. Ceci dit, la demande pressante de vos proches nous amène à tenter d'établir un contact avec vous... Si vous êtes dans l'impossibilité pour quelque raison que ce soit d'entrer en contact avec vos proches ou avec nos services... »

Le message s'arrêtait là faute de temps, la suite était certainement sur le suivant. Je décidai de ne pas le consulter.

Les recherches allaient commencer. Si je passais un coup de fil depuis ce portable, il serait aussitôt localisé. Pour avoir travaillé sur des brevets relatifs aux nouvelles transmissions, je savais qu'un numéro s'enregistre automatiquement sur les bornes relais des serveurs, où qu'elles soient dans l'Hexagone. Dans mon répertoire numérique, j'ouvris le fichier client à la lettre B. Tout en recherchant le numéro du médecin, je décrochai le téléphone de la table de nuit, guettant dans le couloir la présence de Mélaine. Tout était silencieux. Je composai le numéro.

— Docteur Baretti ? Maître Chaumont à l'appareil. Dites-moi, docteur Baretti, vous êtes toujours parfaitement homosexuel ?... Moi aussi je vous demande pardon... Pardon pour ce que je vais faire, mais je n'ai pas le choix, et vous allez m'aider.

Rue des Archives, rue Sainte-Croix-de-la-Bretonnerie, impossible de trouver une place. Hors de question pourtant de laisser la voiture en double file. Une contravention et tout mon plan tombait à l'eau. Je décidai d'aller au parking de l'hôtel de ville. En pleine paranoïa, je me dérobai aux caméras de surveillance à l'aide d'une vieille paire de lunettes noires, trouvée le matin même au château, dans le tiroir des effets oubliés par les visiteurs.

En laissant Mélaine à Mandragore, j'avais vu la terreur passer dans ses yeux. Elle n'avait pas eu besoin de parler, je l'avais prise dans mes bras.

— Cette fois, je reviens, lui avais-je murmuré.

— Je ne veux pas avoir rêvé, m'avait-elle dit. Je ne veux pas me réveiller seule dans mon lit.

— Moi non plus, je ne veux plus me réveiller, jamais, avais-je répondu.

Cette phrase aurait pu appeler des questions de sa part, pourtant elle n'en avait posé aucune et m'avait regardé m'éloigner vers les grilles du château. Je m'étais retourné une dernière fois sur sa silhouette en bas des marches. Le vieux domestique qui avait fait tomber le plateau d'argenterie quelques jours plus tôt s'était approché d'elle et j'avais vu Mélaine poser la main sur son bras et le tenir longtemps, en signe d'amitié et peut-être aussi à cause d'un vertige.

« C'est un message pour maître Chaumont, toujours le lieutenant Masquatier à l'appareil. D'après votre opérateur, il semble que vous ayez procédé à l'écoute de vos messages, à moins que ce téléphone n'ait été volé et ne soit entre les mains d'une tierce personne... »

Je refermai aussitôt le portable comme s'il me brûlait la main. Ils avaient pu constater que j'avais écouté mes messages. Il me fallait me débarrasser de ce téléphone au plus vite. J'avisai le premier banc public venu et le posai dessus avant de me cacher derrière un arbre pour vérifier qu'on me le vole. Un jeune homme en survêtement passa devant, son regard tomba sur le portable. Il retira de ses oreilles les écouteurs de son iPod, regarda à droite, à gauche, puis s'assit, resta ainsi plusieurs secondes et se releva pour s'éloigner vivement. Le téléphone n'était plus là. Il n'y avait aucun risque qu'il le rapporte aux objets trouvés. Ce client idéal emportait dans la poche de son jogging le dernier fil qui me reliait à mon ancienne vie et les questions à jamais sans réponses de ce lieutenant de police.

Thomas l'imposteur. Où donc était-elle cette boîte ? Après avoir arpenté plusieurs fois la rue de long en large, je poussai la porte d'une boutique où se côtoyaient caleçons, chaussures de montagne et piercings. Un garçon en tee-shirt blanc moulant marqué « *porn star* » m'accueillit d'un sourire.

— Bonjour, je dois me rendre à... cette adresse, mais je ne vois pas d'enseigne, dis-je en lui tendant mon papier.

Le sourire s'élargit et les yeux se firent plus perçants.

— Il faut rentrer dans la cour, c'est à gauche en sortant. Il n'y a pas de code à la porte.

Je m'éloignais quand il me lança :

— Tu toques, à cette heure, normalement, c'est fermé !

J'avais déjà éprouvé ce genre de confusion avec les francs-maçons. Comme tout bon collectionneur je m'intéressais à la symbolique maçonnique et aux objets que les frères avaient produits au cours des siècles. Mon intérêt me poussait parfois à fréquenter les librairies spécialisées de la rue Puteaux ou de la rue Cadet. Face à la précision de mes questions, on me sortait les ouvrages en me tutoyant d'emblée. De franc-maçon d'adoption, je passais au statut d'homo d'adoption, et tandis que je marchais dans la rue je sentais la silhouette massive de mon oncle me suivre. Il était mort bien trop tôt, n'avait pas connu le Marais gay. « Ce quartier l'aurait achevé, pensai-je. Il n'aurait même pas pu me léguer son manteau. » Je poussai la

123

lourde porte cochère et pénétrai dans une cour pavée ; au fond à gauche, une porte métallique peinte en rouge devait mener vers les anciennes caves à charbon du bâtiment. Une petite sonnette. Une étiquette sous plastique : Thomas... l'imposteur.

Je sonnai sans résultat et me décidai à toquer quand la porte s'ouvrit.

— C'est vous, me dit le docteur Baretti d'un air las.

Il se déplaçait en habitué dans la vaste salle carrelée, toujours habillé de ces complets clairs que je lui avais vu porter lors de nos entretiens. Les cheveux gris en brosse étaient plus courts, me semblait-il. Au fond de la pièce j'aperçus un bar et des divans, puis un escalier qui partait en colimaçon vers le sous-sol. Sur un des divans, je reconnus Jean-Stéphane à qui je fis un signe de la tête, il détourna le regard et continua à boire sa menthe à l'eau. Le docteur Baretti alla s'asseoir à ses côtés et me désigna un pouf en cuir blanc dans lequel je m'enfonçai jusqu'à terre.

— C'est ça une backroom ? dis-je pour briser le silence.

— Vous n'êtes pas là pour parfaire votre culture, maître, je suppose ? me répondit froidement le docteur Baretti.

D'un mouvement de la main, j'indiquai que je renonçais effectivement à développer ma culture dans ce sens.

— Avant toute chose, je dois vous dire que je trouve cela parfaitement scandaleux.

— Je suis d'accord avec vous, lui répondis-je calmement.

À nouveau nous nous regardâmes tous les trois en silence. Le docteur Baretti avait raison, c'était parfaitement scandaleux. Je l'avais appelé pour lui dire que je révélerais l'existence de Jean-Stéphane à sa femme et à ses filles s'il ne me fournissait pas toutes les preuves de ma présence dans son établissement au cours des quatre dernières années, sous l'identité d'Aimé-Charles de Rivaille, comte de Mandragore.

— J'y ai passé la nuit, fit le docteur Baretti en ouvrant une chemise rouge. Voilà un véritable faux dossier. J'ai falsifié mes disques durs sur quatre ans, pour vous j'ai même falsifié un rapport de police. Vous avez vos photos d'identité ?

Je sortis de ma poche la série que j'avais faite dans une cabine du métro. Les cheveux en bataille, j'avais triste mine. « Si vous êtes victime d'un accident, ne sortez pas votre smoking. Soyez le plus moche possible ! » m'avait la veille précisé le docteur Baretti. Poliment, je lui signalai que j'avais poussé le souci du détail jusqu'à me faire un bleu sur la tempe à l'aide d'un crayon de maquillage acheté le matin même dans un relais d'autoroute. Il me fusilla du regard et m'arracha des mains ma série de photos avant de demander à Jean-Stéphane s'il voulait bien trouver une paire de ciseaux et un tube de colle.

— C'est joli, cette référence à Cocteau, dis-je, tandis que le docteur collait avec précaution mes photos dans les emplacements désignés.

Comme il ne me répondait pas, je poursuivis :

— Pour le nom de la boîte...

— J'avais parfaitement compris, merci, dit-il sans lever les yeux.

— Vous aimez Cocteau ? me demanda Jean-Stéphane.

— Oui, beaucoup, répondis-je.

— Ça vous rachète un peu... laissa tomber le docteur Baretti.

Quelques minutes plus tard, les photos séchaient sur les soixante-douze pages de mon dossier médical.

— Je ne veux plus jamais entendre parler de vous, me dit le docteur Baretti en me raccompagnant vers la porte métallique.

— Moi non plus, je ne veux plus entendre parler de moi.

Il hocha la tête et je quittai la cour.

Dehors la rue était ensoleillée, les garçons et les filles se promenaient main dans la main, et moi, je n'avais plus peur. J'étais Aimé-Charles de Rivaille. C'était marqué sur le dossier, à la page « retour de mémoire » : « le dénommé Jean, ainsi nommé depuis son arrivée, prétend depuis ce matin s'appeler Aimé-Charles de Rivaille. Il serait domicilié en Bourgogne. »

EN BREF

Disparition d'un avocat dans le 17e arrondissement de Paris. Ses proches comme les membres de son cabinet sont sans nouvelles de maître Pierre-François Chaumont depuis bientôt deux semaines. Sa voiture, une Jaguar XJS et certains effets personnels ont disparu. Spécialiste des brevets industriels, il était en charge d'un dossier sensible concernant un moteur expérimental pour les formule 1. La police n'exclut aucune piste.

AUDITIONS

Remue-ménage dans le petit monde de la formule 1. Après la disparition il y a trois mois de l'avocat parisien Pierre-François Chaumont, en charge d'un dossier litigieux sur un nouveau système de Durit (BN-657), deux perquisitions viennent d'avoir lieu hier matin dans les locaux des écuries concurrentes Laren et Foscarini. D'après une source autorisée la police n'exclurait pas un lien entre la disparition de l'avocat et l'espionnage industriel.

FORCENÉ

Franck Massoulier, chercheur en mécanique des fluides dont les compétences font autorité dans le milieu de la formule 1, a provoqué un esclandre hier soir au salon « Vitesse & Passion » à la Porte de Versailles. Il s'est emparé du micro lors de la présentation à la presse des nouveaux moteurs de l'écurie Foscarini, accusant l'invité d'honneur du salon Gianni Foscarini, 96 ans, d'avoir commandité l'enlèvement et l'assassinat de son avocat maître Pierre-François Chaumont dont les proches sont sans nouvelles depuis huit mois (voir nos éditions). Parfaitement bilingue, M. Massoulier a usé de la langue de Dante pour proférer des injures à l'encontre de Gianni Foscarini puis a tenté de s'en prendre physiquement au vieillard avant que des agents de sécurité ne parviennent à le maîtriser.

CONDAMNATION

F. Massoulier, ingénieur et figure de la formule 1 qui avait proféré des injures il y a quelques mois à l'encontre de Gianni Foscarini et de son groupe (voir nos éditions précédentes) a été condamné à verser 2 000 euros de dommages et intérêts au groupe Foscarini pour calomnie, diffamation et propos orduriers. L'avocat maître Chaumont dont la mystérieuse disparition est à l'origine de l'affaire n'est toujours pas réapparu. La police a abandonné, faute de preuves, la piste liée aux affaires professionnelles de maître Chaumont. Aujourd'hui ses relations avec le marché de l'art sont examinées avec soin. Le nom de maître Chaumont apparaît sur l'agenda professionnel du commissaire-priseur Paul Pétillon, mis en examen il y a six mois pour recel.

AFFAIRE DES CRANACH

« Des crapules certes, des meurtriers non ! » C'est ainsi que l'avocat général décrit les accusés. Durant la matinée le commissaire-priseur Paul Pétillon et les antiquaires Carpentier, Beauchon et Victurian étaient interrogés sur maître Chaumont, avocat et collectionneur ayant été en relation avec eux. Disparu depuis presque un an, la piste criminelle qui aurait pu le lier à « l'affaire des Cranach » est abandonnée.

AFFAIRE CHAUMONT

Ce titre est faux et nous le regrettons. Non, définitivement il n'y a pas d'affaire Chaumont, cependant nous tenons à rendre hommage à cet avocat parisien dont on est sans nouvelles depuis maintenant un an. Spécialiste des brevets, sa disparition parut un temps liée à l'industrie de la formule 1 et plus particulièrement à la guerre de l'espionnage industriel dont il aurait pu être l'innocente victime. Cette piste ne mena nulle part. La police chercha dans la vie privée où les mœurs et les infortunes expliquent parfois bien des comportements. Rien. L'ultime piste envisagée tentait de lier la disparition de l'avocat au milieu de l'art. Son nom et son numéro de portable apparaissaient en effet dans les agendas professionnels ou privés de nombreux commissaires-priseurs ou antiquaires dont certains furent condamnés dans « l'affaire des Cranach » (voir nos éditions). Amateur d'art éclairé, d'après ses proches, Pierre-François Chaumont n'aurait entretenu avec ces personnes que des relations strictement professionnelles concernant ses seules collections. Décrit par son entourage comme dépressif et obsessionnel dans les derniers temps, on ne peut malheureusement éviter d'envisager que l'avocat ait mis fin à ses jours. Nous ne pouvons nous empêcher de rapprocher son cas d'un autre disparu que nous avions évoqué il y a deux ans : Henri Dalmier, fonctionnaire au quai d'Orsay qui ne s'est pas présenté à son domicile ni a son bureau depuis vingt-cinq mois et deux semaines maintenant. Nous pensons au calvaire que vivent leurs familles. Peut-être même l'annonce du pire les délivrerait-elle de l'angoisse qui les étreint. Nous profitons de ces lignes pour rappeler qu'en France 12 000 à 15 000 personnes disparaissent chaque année. On estime que 80 % de ces disparitions trouveront une explication : fuite financière, fugue, suicide, meurtre, dépression, accident. Cependant, 20 % demeurent absolument inexpliquées. Ainsi 2 500 à 3 000 personnes disparaissent chaque année sans laisser aucune trace. Notre magazine ne les oublie pas.

Ce fut la dernière fois que j'eus les honneurs de la presse. Bien qu'aucun article digne de ce nom n'ait été consacré à ma « disparition », j'eus le loisir de trouver ces brefs comptes rendus au hasard des faits divers traités dans les journaux.

Ils sont extraits du *Parisien* et du *Nouveau Détective*, le magazine d'investigation ayant poursuivi plus longtemps le récit de ma vaine recherche. C'est ce dernier qui rapproche ma disparition de celle d'un fonctionnaire du quai d'Orsay. J'ignore si Henri Dalmier a refait surface, je n'ai pas cherché d'informations sur lui. Durant cette année, du fond de ma Bourgogne, c'est sur moi que je me suis concentré à en apprendre un peu plus, en consultant les sites des journaux sur Internet. On m'imaginait suicidé. Dans le fond ce n'était pas tout à fait faux.

Un soir que j'étais descendu à Rivaille, je me glissai vers la cabine téléphonique de la place du marché, prenant garde que personne ne me voie. Je décrochai le combiné et composai mon numéro parisien. Je voulais entendre la voix de Charlotte une dernière fois. Je n'avais pas l'intention de lui parler, je voulais juste l'écouter. La sonnerie retentit longtemps, sans réponse. Elle devait monter vers le cristal de mon lustre tout comme la voix stridente de Charlotte un an plus tôt.

Puisque j'étais parti dans les fils de cuivre du téléphone sur les traces de mon passé, je décidai de faire un autre numéro. Quoi de plus naturel que d'appeler celui qui avait partagé vingt années de ma vie ? Chevrier. Lui non plus je n'avais pas l'intention de lui adresser la parole, mais l'entendre dire « Allô ? » à plusieurs reprises dans le vide m'emplissait de joie. L'idée qu'il put m'avoir, moi, au téléphone et s'en douter ajoutait encore à mon trouble. La sonnerie ne retentit que deux fois et le « Allô ? » que j'entendis m'atteignit comme la foudre.

C'était Charlotte. À minuit moins vingt, chez Chevrier. Que faisait-elle là ?

— Allô ? répéta Charlotte.

Elle avait décroché le téléphone et prononcé la phrase rituelle avec la nonchalance d'une habituée des lieux. Où était-il d'ailleurs ce téléphone ? Sur une console, une commode, une table de nuit ? J'essayais d'imaginer la disposition des divers éléments de mobilier sans parvenir à aucune proposition satisfaisante.

— Allô ?

Sa liaison avec Chevrier devait durer depuis des années. Pendant tout ce temps il m'avait servi son histoire de liaison secrète avec une femme mariée... Et cette femme c'était la mienne. Chevrier n'avait jamais cessé d'aimer Charlotte. Elle avait fait sa vie avec le plus doué, le plus riche, et menait de front une double vie avec celui qui jouait à merveille mon second, mon « lieutenant », comme aimaient à le dire certains habitués du cabinet.

« Nous avons vu votre lieutenant, maître. » « Mon associé », rectifiais-je. Ni associé, ni lieutenant, un serpent sournois qui frayait avec une vipère dès que j'avais le dos tourné. Leurs deux corps devaient se tordre de plaisir pendant que je montais les enchères à la salle, le week-end. C'était dans ces moments-là que leur coupable manège devait se produire. « Ma passion aura bien servi la leur », me dis-je. Désormais cela me semblait évident. Comment avais-je fait pour être aveugle à ce point ? Certainement comme Charlotte, Chevrier et tous les autres face à mon portrait. Tout était sous leurs yeux, comme sous les miens, et pourtant nous n'avions rien vu. Nous ne voulions rien voir. Ma femme était aussi transparente pour moi que je l'étais pour elle. En définitive ce coup de fil et cette voix dans l'écouteur étaient salutaires. Ils gommaient tous les doutes, remords, culpabilité que j'avais pu éprouver et dont il me restait encore un fond ce soir-là. Je remerciais Charlotte de n'avoir pas remarqué la ressemblance entre le personnage et moi ; de son côté, elle pouvait me remercier de ne l'avoir pas assez aimée durant toutes ces années. Je lui avais laissé le champ libre.

Après avoir raccroché, j'avais envisagé froidement la suite logique : le mariage de Charlotte et Chevrier. Il n'allait sûrement pas tarder. Et mes objets ? Mon bureau ? Qu'allait-il devenir mon bureau ? Cette pensée ne m'effleurait pas pour la première fois. Mes chères collections étaient seules, abandonnées par leur maître depuis plusieurs mois. Pourtant, si je ne trouvais aucune solution pour remettre la main dessus, elles me paraissaient jusqu'alors en sécurité dans l'appartement. Il n'en était plus rien si ces deux-là refaisaient leur vie ensemble. Ils les vendraient et se payeraient un tour du monde avec, c'était à n'en pas douter. Il me fallait trouver une solution et je me surpris à invoquer saint Antoine, le saint patron des objets perdus et retrouvés. « Il faut que tu me fasses remettre la main sur mes objets », lui demandai-je, sans trop savoir ce que je pourrais faire en retour pour lui.

*
* *

À quelques jours de là, nous nous rendîmes à la gendarmerie avec Mélaine afin de signer tous deux la lettre de reconnaissance mutuelle, officialisant mon retour.

— C'est bien la première fois que j'ai affaire à la gendarmerie, dis-je en pénétrant dans les locaux.

— La seconde, précisa avec un sourire le commandant Briard. Vous ne vous souvenez pas ?

— Aimé à des absences, dit Mélaine d'une voix douce.

— Bien sûr, murmura le gendarme, comme s'il avait commis un impair.

— Quelle était cette autre fois ? insistai-je.

— Les frères Davier, me répondit le commandant en retrouvant son sourire.

Il y avait presque dix ans de cela, une nuit, je m'étais paraît-il promené dans Mandragore, fusil à l'épaule, à la recherche d'un renard. Il saccageait les plates-bandes du château depuis plusieurs semaines. Dans la forêt, j'avais croisé les frères Davier. Martial et Noël étaient eux aussi partis à la chasse au renard, mais pas pour le tuer au fusil. Bien au contraire, ils voulaient l'occire en douceur afin de le revendre à un taxidermiste.

Les Davier étaient alors de toutes les combines, et dès qu'un cambriolage se produisait dans la région, la première adresse où se rendaient les gendarmes, c'était la casse de voitures du Pivert, seule propriété officielle des frères, héritée de leur père.

Cette même nuit, le distributeur de la Caisse d'Épargne de Chassanier, un bourg non loin de Rivaille, avait été fracassé. Le butin n'était pas négligeable et les témoins avaient donné le signalement de deux hommes que dans la lueur des réverbères ils avaient vus roux. Aussitôt, les gendarmes avaient reconnu les frères Davier, ceux-là même qui braconnaient sur mes terres. Arrêtés dès le lendemain, leur mésaventure m'était parvenue et je m'étais présenté à la gendarmerie afin de préciser qu'à l'heure du casse, les frères discutaient avec moi dans la forêt. Eux n'avaient pas encore parlé, l'histoire du taxidermiste ne pouvant que leur attirer des ennuis. Ma démarche spontanée et mon titre de comte changèrent la donne. L'histoire du taxidermiste passa à la trappe et les frères furent relâchés dans l'heure.

Ils m'en gardaient paraît-il une reconnaissance éternelle. Martial, l'aîné, détenu deux années pour trafic de bijoux, risquait de se retrouver en cellule à la moindre infraction.

En sortant du commissariat, une image me trottait dans la tête, celle de deux puissants pieds de biche faisant sauter les gonds de la porte de mon appartement. Je les voyais comme si j'y étais, faisant ployer le métal et céder le bois dans un immense craquement.

J'avais trouvé la solution pour éviter la salle des ventes à mes collections.

Prétextant une promenade solitaire dans les environs de Rivaille, qui me remémorerait les fragments disparus de mon passé, j'empruntai la vieille Santana qui sert à nous déplacer dans les vignes. Après avoir traversé la place du village, je gagnai la départementale vers la casse de voitures.

Je ne pus m'empêcher de faire un petit crochet par le lieu-dit « La mare du fol » – hommage à un homme qui tenta de s'y noyer à onze reprises avant de choisir la corde. Je descendis de la Santana et me postai devant les eaux sombres. Le regard parcourant la surface, j'essayai d'y distinguer la Jaguar. Rien.

C'était à cet endroit, repéré avant mon départ pour Thomas l'imposteur, que j'avais noyé ma voiture. À la nuit tombée, j'avais avancé mon coupé au bord de l'étang, dont j'avais sondé la profondeur la veille avec un long bout de bois. Je m'étais accordé une cigarette avant d'effectuer pour de vrai ce que j'avais vu faire dans de nombreux films : ouvrir toutes les vitres, desserrer le frein à main, pousser la voiture vers l'onde et la regarder, fasciné, s'y enfoncer lentement. Ma Jaguar s'était montrée digne de ce rôle ultime, elle s'était engloutie doucement, sa disparition avait été ponctuée de gros bouillonnements, il n'y avait bientôt plus eu que le toit, puis plus rien. L'étang était redevenu silencieux, comme si rien ne s'était produit d'anormal. J'étais rentré à pied au château, prenant garde de ne croiser personne et prétendant avoir rendu sa voiture à mon médecin et pris un taxi pour le retour.

Mélaine et moi nous étions ensuite plongés dans le dossier du docteur Barretti. Un modèle du genre qui contenait mille détails me concernant et qu'il était impossible de mettre en doute. Même la gendarmerie avait noté le professionnalisme de ce médecin hors pair.

— C'est à des hommes comme cela qu'on devrait remettre la Légion d'honneur ! s'était exclamé le commandant Briard, au lieu de quoi on la donne à des chanteurs et des actrices, quelle misère.

Sur la route je suivis les panneaux qui indiquaient la direction de la casse du Pivert. La vieille Santana filait dans l'air chaud de cette après-midi d'été, et c'est en sifflotant le refrain entêtant de *Meurtre dans un jardin anglais* que je franchis l'entrée du cimetière de voitures. Je garai la Santana assez près de la porte afin que la puissante pince qui manœuvrait les carcasses

ne la confondît pas avec les compressions à
l'ordre du jour. L'homme roux qui commandait
l'engin pencha la tête à l'extérieur de la cabine.

— C'est pour quoi ?! s'écria-t-il dans un
vacarme de tôle froissée.

Une porte s'ouvrit dans une petite guérite
construite en hauteur où l'on ne pouvait accéder
que par un escalier de métal. Un autre homme
me regardait, rouquin lui aussi. La quarantaine,
vêtu d'un marcel bleu, ses petits yeux rapprochés
et son front bas le faisaient ressembler à un bélier.

— Laisse, cria-t-il à l'autre. C'est monsieur le
comte !

Il s'approcha de moi et me serra la main.

— On peut quelque chose pour vous, monsieur le comte ?

— Je le crois, lui répondis-je.

— C'est pour la voiture ? ajouta-t-il aussitôt,
désignant la vieille Santana poussiéreuse.

— Non.

— Ah.

— C'est… une sorte de service que j'aurais à
vous demander.

Il hocha la tête avec l'air entendu de celui qui
n'a pas besoin qu'on lui en dise plus.

— Martial ! Descends de ton araignée ! cria-
t-il à son frère.

Les puissantes pinces s'arrêtèrent dans un
claquement avant de se balancer dans l'air,
silencieuses et menaçantes. Martial nous rejoi-
gnit et me serra la main à son tour. J'avais deux
béliers roux devant moi, visiblement prêts à tout
pour obéir à leur berger.

— Une bière, m'sieur le comte ? me proposa Noël.

Sur la toile cirée de la table, quatre canettes de bière vides traînaient à côté d'un plan, tracé à la pointe Bic au dos d'une vieille chemise de carton beige. Je leur avais indiqué la disposition de l'appartement, l'entrée, le salon et enfin le bureau. Ils auraient trois heures devant eux pour vider entièrement la pièce. Le délai était court mais, selon leur terme, ils allaient « gérer ». Ni l'un ni l'autre ne me demandèrent pourquoi le comte de Mandragore souhaitait cambrioler un appartement à Paris. Cette question était sans importance à leurs yeux.

— Et la femme ? Si elle revient ? me demanda Noël.

— Elle ne doit pas être là. Le jeudi, c'est son jour de coiffeur.

Martial acquiesça, mais Noël repartit de plus belle sur Charlotte.

— La femme, si on la voit, on la gère, trancha Martial. Vous inquiétez pas, monsieur le comte. On connaît notre affaire.

Nous réglâmes ensuite les détails : type de serrurerie de la porte, voisinage, papier bulle à prévoir pour emballer les objets, cartons de déménagement, camion et stockage.

En ce qui concernait le stockage, les frères Davier proposèrent de mettre à ma disposition un hangar qui leur appartenait à quelques kilomètres de là et dans lequel ne traînaient que « quelques bricoles ». Le casse devait se dérouler cinq jours plus tard. Étant le chef de l'opération, il me fallait être disponible le jour dit sur mon portable pour toute question subsidiaire. Le nouveau forfait auquel j'avais souscrit auprès de France Télécom-Orange allait trouver là sa première utilité. Les frères Davier, en grands professionnels, établirent des noms de code. J'étais « Mon pote », eux « Filou » et « Tintin », et mes chères collections « Le gros chien ».

*
* *

Ce jeudi soir, je me promenais dans la roseraie avant de rejoindre Mélaine pour l'apéritif. Nous devions retrouver de chers amis américains de passage en Bourgogne, les McEllie – Arthur était le donateur de la rose « Mélaine ». Ayant suivi de près ma tragique disparition, ils étaient fous de joie à l'idée de me revoir. Mélaine m'avait fait lire les témoignages de sympathie que ces adorables New-Yorkais nous avaient envoyés par e-mail depuis leur hôtel particulier sur Central Park.

Nous nous étions pris en photo, joue contre joue, souriant à l'appareil numérique tenu à bout de bras et nous leur avions envoyé l'image. « *I am back* », avais-je sobrement titré la photo. La réponse ne s'était pas fait attendre ; mcellie.nyforever@aol.com : « *OH MY GOD !* » s'était étiré en caractères immenses sur notre écran.

Je marchais sur les dalles blanches quand mon portable retentit, je décrochai aussitôt, je n'avais eu aucunes nouvelles des frères Davier de toute l'après-midi et un scénario obscur avait commencé à germer dans mon esprit : je ne reverrais jamais mes collections, ils avaient fait les receleurs et nieraient tout quand je me présenterais à la casse. Peut-être même me feraient-ils déguerpir à coups de fusil. Pourtant j'avais confiance en ces crapules qui se contentaient d'honorer une dette qu'ils avaient envers moi. J'ai toujours eu du respect pour les voyous, il me semble que leur code de l'honneur, fruste et violent, est infiniment plus fiable que celui des hommes en col blanc.

— Salut mon pote.

C'était la voix de Martial.

— On a récupéré ton gros chien, il est à la niche, mais qu'est-ce qu'il est lourd l'animal !

— Il n'a pas aboyé ?

Ceci était le code pour demander si Charlotte s'était présentée.

— Non, très calme, ce chien.

— Pas de bobo à la papatte ou à la truffe ?

Le code pour savoir si aucun objet n'avait été cassé.

— Rien du tout, tu peux venir jouer à la baballe avec lui quand tu veux. Salut, mon pote.

— Salut Tintin, et remercie Filou aussi.

— J'y manquerai pas.

Le lendemain les objets intégrèrent le hangar dont Martial Davier me remit la clef.

— Gardez-la, monsieur le comte, chacun ses secrets, me dit-il solennellement en relevant le menton avec la raideur d'un colonel de l'armée de terre.

Que s'était-il passé exactement à Paris ? Le destin avait-il recouvert d'un voile mon pastel, afin que je sois le seul à m'y reconnaître ?

J'avais souvent joué avec cette idée aux frontières du fantastique, c'était une explication bien séduisante, mystérieuse et romantique, comme la quête qui m'avait amené à vivre dans ce château. J'imaginais dans ces moments-là qu'Auguste Chaumont de Rivaille avait confié son portrait à un alchimiste douteux pour qu'il exécute quelques incantations magiques à base de mandragore qui le rendraient différent aux yeux des autres. Et pourtant, je crois bien que rien de tel ne s'est jamais produit.

Maintenant, j'entrevois l'unique possibilité. La vérité, presque décevante et qui donne néanmoins le vertige : je crois que Charlotte, Chevrier son amant et nos amis des apéritifs se sont tous ligués contre moi. Il n'y a dans cette pensée aucune paranoïa, je crois tout simplement qu'ils ont voulu me jouer un bon tour, à moi, l'avocat qui avais mieux réussi qu'eux et qui dépensais honteusement son argent pour ce qu'ils considéraient comme des vieilleries.

Je crois que lorsque Charlotte a découvert le tableau dans le salon et que je l'ai pressée de me donner son sentiment, elle a trouvé là le moyen idéal de me tenir tête. « Qu'est-ce que je suis censée remarquer ? » « Ce type ne te ressemble pas du tout. » Elle savait que cela m'atteindrait plus sûrement qu'un contrôle fiscal. Elle avait fait mouche.

Je pense qu'elle voulait me donner une leçon. La réapparition des objets du bureau dans l'appartement lui déplaisait et certainement encore une ou deux choses dont je devais être, ces temps-là, coupable à ses yeux. Le coup de fil d'une de ses amies que j'avais oublié de lui transmettre ou un restaurant promis et oublié lui aussi, voire un projet de week-end auquel je n'avais pas donné suite. Le portrait lui avait offert l'occasion d'une petite vengeance, et elle s'était empressée de prévenir Chevrier pour qu'il joue le jeu si j'en venais à le lui montrer. Elle avait aussi dû faire la leçon à nos amis : « Pierre-François va venir vous montrer un curieux tableau qui lui ressemble assez, mais il ne faut surtout pas le lui dire... » Tous avaient dû échanger des clins d'œil, des motus et des bouches cousues. Ils devaient rire de leur farce lorsque je quittais le salon, dépité, pour rapporter le tableau dans mon bureau. Je ne fréquentais qu'un cercle de gens qui se connaissaient tous et devaient se délecter de cette plaisanterie dont ils ne calculaient pas les conséquences.

Point d'alchimie, de magie, de sortilège. Une farce mesquine, un complot de petits bourgeois aigris qui avaient décidé de faire tourner chèvre le meilleur d'entre eux. Je crois malheureusement que ce n'était que cela.

Si Charlotte avait consenti à porter la main à sa bouche en étouffant un cri, le jour où je lui avais présenté mon tableau, si aussitôt elle avait dit : « Mais où as-tu trouvé cela, Pierre-François c'est incroyable ! », oui, si elle avait fait cela, rien ne serait arrivé. Et nos amis, si seulement ils avaient accepté de reconnaître l'évidence, que c'était moi en fait qui leur jouais un bon tour à tous avec ma dernière trouvaille... Mais de cela ils ne voulaient pas, ils ne voulaient plus. Dans le fond, ils ne m'aimaient pas, ils ne m'avaient jamais aimé. Leur attitude face au portrait en avait été la démonstration éclatante.

« Va chercher ton tableau Pierre-François. » J'entends encore sa voix triomphante. C'était le signal. « Va voir ailleurs si j'y suis », dit l'expression populaire pour se débarrasser de quelqu'un d'encombrant.

J'y suis allé, voir, dans cet ailleurs, et c'est moi qui y étais.

J'y suis toujours.

La chaleur écrasante fait jouer les tôles du hangar, c'est comme une boursouflure qui fait se dilater bruyamment le métal. Un véritable four. Je me lève, regarde encore un instant mes trésors dans la lueur des cierges avant de les moucher un à un à l'aide d'une mouchette, ce petit ciseau d'argent dont l'une des lames contient un caisson où en une fraction de seconde la mèche s'étouffe et s'éteint. Vingt-trois cierges à moucher, mes visites se terminent toujours par cette série. C'est un rituel, comme la cigarette et la timbale de Bowmore. Ma messe est finie et la chaleur fait couler des gouttes de sueur le long de mes joues. Je repose la mouchette sur son socle et à tâtons je me dirige vers la lourde porte du hangar. Je la fais coulisser et le soleil m'éblouit. C'est comme un sas de décompression, le hangar est un petit univers parallèle dont je suis le seul à posséder la clef, une chambre noire pour communiquer avec un esprit disparu. Pierre-François Chaumont, es-tu là ? Un coup, oui, deux coups, non.

*
* *

Je m'éponge le front du revers de la manche et je m'éloigne vers le chemin de terre qui mène aux hauteurs de Rivaille. Dans une demi-heure je serai au château, dans le salon des douves, avec Mélaine à prendre le thé.

— Qu'as-tu fait ?

— Rien de spécial, une promenade, lui répondrai-je.

Nous aimons ce rituel du thé dans cette pièce fraîche et légèrement humide. En prêtant l'oreille, par les carreaux entrouverts, on entend parfois le claquement d'une carpe qui vient de faire surface avant de replonger dans sa nuit liquide. Mélaine s'approche alors de la fenêtre et soulève le voilage, les yeux perdus dans les eaux sombres, puis elle se retourne vers moi et me regarde. Un sourire complice se dessine sur son visage, elle laisse choir les rideaux et s'approche, lentement, pas après pas, sans me quitter des yeux. Arrivée à ma hauteur, elle s'assoit à mes côtés, passe une main dans mes cheveux, et lorsque je m'apprête à parler, elle pose un doigt sur ma bouche. Nous nous regardons alors sans un mot. Dans ces instants-là je suis sûr qu'elle sait.

Elle sait que je ne suis pas son mari. Ce dont je suis tout aussi sûr c'est que jamais nous n'en parlerons. Nous nous aimons trop pour gâcher notre bonheur par une conversation sur ce qui n'est en définitive qu'un simple détail.

Un bruit sourd comme la chute d'une météorite d'étoupe vient de retentir derrière moi, je m'arrête et je me fige. Un vertige me saisit et les coulées de sueur brûlante qui glissent sur mon front deviennent glacées. Je sais ce que signifie ce bruit, ce choc sourd. Ce ne peut être que cela.

Je reprends ma respiration en serrant les dents, tandis que retentissent les premiers craquements de tôles. Je n'arrive pas à bouger, mes jambes sont comme soudées au sol. Le vent chaud se mêle soudain d'un crépitement qui enfle, d'autres craquements encore, des coups qui partent comme des pétards. Ils proviennent de la vieille caisse de cartouches abandonnée près des sacs d'engrais. Je ne peux plus bouger. Le vide le plus complet se fait dans ma tête. Je suis déjà dans le salon des douves à boire le thé avec Mélaine. Je la regarde, mes yeux glissent sur la robe de coton blanc qu'elle portait ce matin, remontent vers la chevelure. Je vois son corps et je ressens sa présence avec une netteté presque surréelle. Maintenant que j'ai compris ce qui s'était passé à Paris, quelque chose doit s'accomplir. Maintenant que j'ai trouvé la femme, l'amour et la beauté que j'ai cherchée durant toutes ces années à travers les objets, maintenant que je suis passé de l'inanimé au vivant, le transfert doit avoir lieu dans un étrange marché, à la manière de ces passeurs clandestins que l'on paye une fortune pour franchir des frontières interdites : tous mes objets pour une seule femme.

C'est le prix à payer. La rançon du bonheur.

Enfin je trouve la force de me retourner. À cet instant le toit du hangar s'écroule, le souffle brûlant et les escarbilles m'atteignent au visage et me décoiffent. Je ferme les yeux.

« Pierre-François Chaumont, es-tu là ? Un coup, oui, deux coups, non. »

En réponse, distinctement et l'une après l'autre, deux cartouches explosent.

Remerciements

À mes éditeurs, Marike Gauthier et Yann Briand. À Barthélémy Chapelet, Vincent Eudeline, Julien Levy et Véronique Saint Olive. Vous avez su me voir dans la foule, j'étais bien caché.

À mes parents bien sûr... Mais aussi à Jean-Alexis Aubert, Marc Feldman, Adrien Goetz et sa dormeuse, Michèle Missirliu, Marion Vincent-Royol, Charlotte de Foras, Anne Gautier, maître Catherine Charbonneaux, Nathalie Lafon, Laurent Giraud Dumas et l'équipe du Harry's Bar, Mathieu Raymond, Delphine Torrekens, Jean Castelli, Sandrine Dumarais, Annick Jelicie, Léo Larguier, Sonia Sieff et à Stéphanie Lollichon.

12074

Composition
NORD COMPO

*Achevé d'imprimer en Espagne
par CPI
le 7 février 2018.*

Dépôt légal : février 2018.
EAN 9782290147788
OTP L21EPLN002225N001

ÉDITIONS J'AI LU
87, quai Panhard-et-Levassor, 75013 Paris

Diffusion France et étranger : Flammarion